AUX FRONTIÈRES DU RÉEL

LA GUERRE DES COPROPHAGES

AUX FRONTIÈRES DU RÉEL

LA GUERRE DES COPROPHAGES
un roman de Les Martin

D'après la série télévisée
THE (X) FILES™ créée par Chris Carter
D'après un scénario de Darin Morgan

Traduit de l'américain par M.C. Caillava

Éditions J'ai lu

Titre original :
DIE, BUG, DIE !
Published by arrangement with HarperCollinsChildren'sBooks,
a division of HarperCollinsPublishers, Inc.

Pour la traduction française :
© Éditions J'ai lu 1997

CHAPITRE 1

L'homme regardait le cafard droit dans les yeux.

Le cafard lui fit face puis, brusquement, courut se mettre à l'abri.

Mais l'homme était trop rapide. Sa main jaillit et attrapa la bestiole qui essayait de fuir en escaladant le mur de ciment du sous-sol.

Il regarda l'insecte qu'il tenait à présent entre le pouce et l'index. L'animal remuait ses antennes et ses pattes dans tous les sens.

— Et voici le célèbre cancrelat !

Il avait dit cela sur le ton d'un professeur qui donne un cours sur son sujet favori.

D'ailleurs, il avait l'air d'un professeur : chemise immaculée, petite cravate noire, pantalon sombre et chaussures impeccablement cirées. Mais sur le dos de sa chemise était brodée la silhouette d'un cafard. Et sous ce dessin était écrit en lettres rouges :

DR CAFARDO — EXTERMINATEUR.

Le Dr Cafardo était un spécialiste de la désinsectisation, et il aimait bien son job.

— Les cafards vivent sur terre depuis bien plus longtemps que nous autres humains! dit-il au propriétaire des lieux.

Jeff Eckerle, son client du jour, portait le titre de docteur lui aussi, mais à bon droit. Son travail était bien moins violent que celui de Cafardo: il essayait de débarrasser la planète de la pollution en mettant au point un combustible artificiel non polluant. Dans un labo, c'était lui le maître, mais pour le moment il regardait le cancrelat que tenait Cafardo avec une curiosité mêlée de crainte digne d'un élève de septième.

— Les scientifiques pensent que les blattes sont apparues sur terre il y a environ trois cent cinquante millions d'années, continua l'exterminateur.

Il marqua une pause et ajouta:

— Vous savez, on en trouve partout, aujourd'hui, des tropiques au cercle Arctique. Il en existe quatre mille variétés connues, et elles sont chaque jour plus nombreuses. Une seule femelle peut, en un an, donner naissance à un demi-million de petits.

Le Dr Cafardo regardait presque avec affection l'insecte qui se tortillait désespérément entre ses doigts. Il poursuivit son petit exposé:

— Rien ne les extermine radicalement. Ils s'adaptent à tous les pesticides, même les radiations ne leur font pas d'effet. Du point de vue de la résistance physique, ce sont des créatures parfaites. Mais, bien entendu, ce ne sont que des insectes. Ils savent chercher de la nourriture, se sauver face au danger, mais ils sont totalement incapables de penser, contrairement à nous, humains.

— Heureusement ! fit Eckerle.

Pâle et mal à l'aise, il fixait le cafard de ses grands yeux bleus.

— Ouais, fit Cafardo. Comparés aux cancrelats, nous sommes des dieux, et nous devons agir comme tels !

Il lâcha la bestiole qui tomba sur le sol en ciment. Avant que le pauvre insecte n'ait eu le temps de réagir, Cafardo l'écrasa d'un coup de talon. Le Dr Eckerle grimaça de dégoût en entendant sa carapace se briser.

— Beurk ! lâcha-t-il en regardant ce qui restait de la pauvre blatte. Vous êtes sûr qu'il est mort ?

— À cent pour cent.

Eckerle frissonna :

— J'ai entendu dire que, si on leur coupait la tête, ils restaient vivants et finissaient simplement par mourir de faim. C'est vrai ?

Le Dr Cafardo haussa les épaules :

— Écoutez, mon vieux, j'en sais rien, moi ; j'les tue, c'est tout !

— C'est dans ce but que j'ai fait appel à vous, rétorqua Eckerle qui ne pouvait pas s'empêcher de regarder fixement les restes de l'insecte.

— Exact, et je me mets au boulot de ce pas ! Vous pouvez regarder si vous voulez.

L'exterminateur saisit la grande bonbonne grise qu'il avait apportée et commença à pulvériser de l'insecticide dans les fissures du mur et du sol.

— Je croyais que, de nos jours, on tuait les cafards grâce au froid ? s'enquit le chercheur.

— Avec du froid ? Bah, ce ne serait pas amusant. Non, maintenant, on a ce produit chimique qui se comporte comme une moisissure. Non seulement ça tue tous les cafards qui entrent en contact avec, mais ça élimine aussi tous ceux que le cafard contaminé va rencontrer. Le plus drôle, quand on y pense, c'est que ce sont ces bestioles qui font tout le boulot !

— Tout ce que je veux, c'est que vous m'en débarrassiez. Et d'ailleurs, si cela ne vous fait rien, je ne vais pas rester pour l'exécution. J'ai horreur des insectes, fit Eckerle en se dirigeant vers l'escalier sans regarder derrière lui.

Cafardo se mit au travail en souriant. Mais son expression changea soudain. Il fronça les sourcils en regardant une blatte immobile sur le mur juste en face de lui. L'animal ne faisait pas le moindre mouvement pour se sauver. En fait... on aurait dit qu'il observait l'exterminateur, comme pour le mettre au défi d'essayer de le tuer.

— Espèce d'arrogant petit coquin...

Cafardo projeta sur l'insecte un jet de produit.

La bestiole ne broncha pas. Elle n'avait pas l'air affectée le moins du monde. Mais elle émit un bref cri qui ressemblait fort à une insulte.

— Bon, soupira le Dr Cafardo, il va falloir que je trouve un nouvel insecticide, on dirait... en attendant, les bonnes vieilles méthodes feront l'affaire.

Il décolla la blatte du mur avec l'extrémité de son pulvérisateur, puis l'écrasa.

— Rien de tel que les techniques ancestrales !

Cafardo regarda sous sa semelle et bondit sous l'effet de la surprise.

Indemne, l'insecte s'éloignait d'un pas vif et assuré.

— Oh, non... pas ça !

Cafardo se précipita avant que le cancrelat n'ait pu atteindre une des fissures du mur.

Cette fois-ci, il abattit son talon sur lui de toutes ses forces.

— Aïe ! hurla-t-il.

Il avait l'impression qu'un clou venait de lui traverser la chaussure pour se ficher dans son pied. La douleur lui fit fermer les yeux l'espace d'un instant. Il grimaça, essaya de se reprendre et de se remettre au travail.

Il avança tant bien que mal vers l'autre mur, à la recherche de cafards.

Et il les vit...

Ils étaient là. Ils le regardaient fixement, ils l'observaient, exactement comme l'autre l'avait fait.

Cafardo tituba en arrière, lâcha son pulvérisateur, porta la main à sa poitrine et s'effondra contre le mur.

À travers un voile de larmes de douleur, l'exterminateur aperçut leurs antennes qui remuaient, comme pour lui dire au revoir.

Ce fut la dernière chose qu'il vit.

Les cancrelats dévalèrent les murs et s'empressèrent de recouvrir le corps immobile, sans prêter la moindre attention au Dr Eckerle qui descendait l'escalier pour dire :

— Hé, monsieur, j'oubliais, j'ai aussi trouvé des cafards dans le...

Ils ne levèrent pas même une antenne quand ils l'entendirent hurler d'horreur.

CHAPITRE 2

L'agent spécial Fox Mulder était assis tout seul
dans sa voiture et admirait le ciel à travers le pare-
brise. Il s'était arrêté en rase campagne, sur une route
de Nouvelle-Angleterre. Le ciel était clair, exempt de
pollution. Les étoiles brillaient, certaines seules dans
leur coin, d'autres serrées les unes contre les autres,
dessinant des constellations. C'était un spectacle
extraordinaire ; Mulder était fasciné.

Soudain, il fit la grimace.

Une petite tache noire venait de s'écraser sur le
pare-brise, le ramenant à des considérations terre à
terre. Une autre tache... encore une autre... Mulder se
pencha en avant pour regarder ce qui se passait.

— Des insectes, murmura-t-il.

Il mit en marche les essuie-glaces.

C'est alors que son téléphone portable sonna dans
sa poche.

Contrarié, Mulder arrêta les essuie-glaces qui

11

couinaient et ouvrit son téléphone cellulaire. C'était sa coéquipière du F.B.I., Dana Scully, qui était au bout du fil.

— Mulder, s'écria-t-elle, j'ai essayé de te joindre toute la journée, où étais-tu?

— On est en train de désinsectiser mon appartement, répondit-il, alors je me suis dit que je ferais aussi bien de partir pour le week-end. Je suis dans le Massachusetts.

— Tu rends visite à ta mère?

— Non, je réfléchis, c'est tout.

— Ben voyons... tu réfléchis, et c'est tout?

Mulder la connaissait suffisamment pour sentir qu'elle ne le croyait pas.

— Je t'assure, je réfléchis, rien de plus. Et toi, que fais-tu de beau?

— Je suis en train de nettoyer mon revolver.

Dana s'essuya les mains et ajouta :

— Bon, alors vas-y, dis-moi tout, à quoi réfléchis-tu?

Mulder dut lui avouer la vérité :

— De nombreuses personnes ont vu des lumières colorées dans le ciel, hier soir, dans ce coin.

— Je vois; tu étudies donc la question! Je parie que tu es de nouveau en train de scruter le ciel.

— Scully, je sais que cela va à l'encontre de tout ce que tu crois, mais est-ce que tu n'as jamais regardé les étoiles et eu l'impression qu'il y avait quelque chose là-haut? Une présence qui t'observait avec curiosité, exactement comme toi tu admires les étoiles?

— Nous avons déjà parlé de tout cela auparavant, soupira Scully. L'apparition de la vie sur terre résulte d'un accident chimique invraisemblable. L'intelligence complexe dont sont doués les humains est le fruit d'un hasard biologique. Les chances pour que le même type de vie se soit développée ailleurs que sur notre planète sont absolument infimes, négligeables. C'est totalement antidarwinien.

— Alors comme ça, tu nettoies ton revolver, hein ? fit Mulder qui sentit soudain qu'il valait mieux pour lui changer de sujet.

Il ne souhaitait pas reprendre pour la énième fois, cette discussion avec Scully. Et puis, il était venu pour surveiller le ciel, pas pour bavarder. D'ailleurs, tout en parlant à sa coéquipière, il ne pouvait s'empêcher de lever le nez. Les étoiles attiraient son regard comme des aimants.

Scully soupira de nouveau :

— Peut-être qu'un jour tu finiras par devenir raisonnable, fit-elle.

Elle n'avait pas l'air de trop y croire.

— Je comprends ton point de vue, mais j'ai besoin de continuer mes recherches.

D'autres insectes s'étaient écrasés sur le pare-brise. Il remit les essuie-glaces en marche.

— Un bon conseil, Mulder, ne cherche pas trop... tu pourrais fort bien ne pas aimer ce que tu vas découvrir !

— Est-ce que ce n'est pas ce que le Dr Zaïus dit à Charlton Heston à la fin de *La Planète des singes* ?

— Le film ne finissait pas vraiment sur une touche optimiste, tu te rappelles?

Mulder ouvrait la bouche pour répondre, quand une lumière aveuglante explosa devant lui.

Il bafouilla, mit quelques instants à se reprendre avant de pouvoir dire :

— Scully, il faut que je te quitte.

Elle changea de ton.

— Que se passe-t-il? demanda-t-elle avec anxiété.

Pour toute réponse, elle entendit la tonalité du téléphone.

— Allô, Mulder? insista-t-elle.

Mais il n'y avait plus personne au bout du fil.

CHAPITRE 3

Aveuglé par la lumière, Mulder posa l'appareil sur la banquette et porta immédiatement la main à son arme.

Il se détendit aussitôt. Ses yeux s'habituant au changement de luminosité, il découvrit la silhouette d'un policier en uniforme en train de braquer une lampe torche sur lui.

Les essuie-glaces oscillaient toujours, émettant des crissements grotesques. L'homme s'approcha de la portière de Fox et lui fit signe de baisser la vitre.

— Tout va bien, m'sieur ? demanda-t-il d'un ton aimable.

Mulder pouvait maintenant voir ses yeux : durs et froids.

— Tout va bien, oui, merci.

Le policier le dévisageait.

— On peut savoir ce que vous faites ici ?

— Je réfléchis.

— Vous réfléchissez... et vous téléphonez, à ce que je vois !

— C'est exact.

— Je trouve votre comportement étrange, m'sieur. Montrez-moi votre carte d'identité.

Mulder haussa les épaules et lui passa son badge du F.B.I.

Le policier éclaira la photo, puis le visage de Mulder, puis de nouveau la photo, étudiant le badge d'un air soupçonneux.

— Agent spécial Fox Mulder ? finit-il par demander.

— C'est bien moi.

Il se calma enfin.

— Je suis le shérif Vince Frass. Désolé de vous avoir traité un peu cavalièrement, mais on ne voit pas beaucoup d'étrangers sur nos routes de campagne, surtout pas des gens du Bureau. Vous êtes venu ici pour une enquête ?

— On m'a dit que de nombreuses personnes avaient vu des OVNIs dans cette région, la nuit dernière. Est-ce que vous avez remarqué quelque chose de suspect, shérif ?

— Moi ? Non. Mais nous avons reçu beaucoup d'appels. Ce genre de truc arrive toujours en série. Un cinglé dit qu'il a aperçu une lueur, et tout le monde s'y met. C'est comme une épidémie.

— Et ce soir, vous avez encore eu des appels à ce sujet ?

Le policier se gratta la tête.

— Non, m'sieur, et franchement, je ne comprends pas pourquoi le F.B.I. s'intéresse à ce genre d'âneries.

— Qui a dit que le F.B.I. s'y intéressait ?

Le shérif regarda de nouveau le badge de Mulder, comme si cette dernière réplique lui redonnait des doutes sur son identité.

— Excusez-moi de vous poser la question, monsieur, mais pourquoi avez-vous mis vos essuie-glaces en marche ?

Mulder les arrêta avant de répondre :

— Pour chasser des petits insectes qui prenaient mon pare-brise pour une cible de foire. Vous avez apparemment pas mal de bestioles dans la région !

En entendant le mot « insecte », Frass porta la main à son arme. On aurait dit qu'une sonnette d'alarme avait retenti.

— Des « petits insectes »... vous voulez dire des cafards ?

Mulder fit la moue :

— Je n'en sais rien, peut-être des scarabées, je n'ai pas vraiment regardé. Et je dois vous avouer que je ne m'y connais pas très bien en la matière.

Le shérif avait l'air près de lui poser d'autres questions. Mais avant qu'il ait pu ouvrir la bouche, la radio de sa voiture émit un *bip !* strident et il alla immédiatement voir.

— Ne bougez pas, m'sieur, je reviens tout de suite.

Pour un gros type dont le ventre ressemblait à un ballon de foot, il courait vite.

Il disparut dans la nuit. Mulder ne distinguait plus que le rai de lumière de sa torche.

Quelques secondes plus tard, le véhicule pie s'anima : ses phares s'allumèrent et son moteur se mit en marche.

Frass roula jusqu'à la hauteur de Mulder, baissa la vitre et lui rendit son badge.

— Désolé, mais faut que j'y aille.

— Que se passe-t-il ?

Le shérif eut une grimace amère.

— Les cafards ont encore frappé.

— Les *quoi* ?

Mais le flic avait déjà démarré.

Sans faire ni une ni deux, Mulder alluma le contact et, prenant un virage serré, le suivit sur la petite route.

CHAPITRE 4

Debout sur le perron de la petite maison si typique des quartiers résidentiels, Mulder se dit qu'il devait en apprendre plus sur cette affaire de cafards avant de pouvoir appeler Scully.

Il avait suivi le shérif Frass jusqu'ici, et celui-ci n'avait pas protesté en voyant qu'on lui collait au train. En fait, il était content qu'un agent du F.B.I. se trouve à ses côtés en ces instants difficiles.

— S'il y a quoi que ce soit que vous puissiez faire pour m'aider, dit-il à Mulder, je vous en serais reconnaissant. Cette affaire me donne déjà le cafard... si vous me passez l'expression.

Mulder entra avec lui dans le pavillon. Deux policiers gardaient l'entrée. Dès qu'ils furent à l'intérieur, un petit homme pâle aux yeux bleus se précipita vers eux :

— Je suis le Dr Eckerle, annonça-t-il.

— Vous êtes le nouveau médecin légiste ? s'enquit

Frass. Mais alors, où est mon vieil ami, le Dr Newton?

— Oh, non, vous n'avez pas compris... Je suis chimiste! bafouilla Eckerle. J'habite ici! Le Dr Newton est en bas, en train d'examiner le cadavre. Je ne supportais plus de rester là, dans le sous-sol, plus longtemps. Les insectes m'ont toujours terrifié, et ceux-ci.... Beurk!

— Des insectes? Vous voulez dire des cafards, c'est ça? demanda Frass.

Le Dr Eckerle déglutit avec difficulté et acquiesça.

— Comment est-ce qu'on descend au sous-sol?

— Par ici, shérif.

Le savant leur fit signe de le suivre et les mena jusqu'à un petit escalier sombre.

— J'espère que vous ne voulez pas que je vous accompagne, murmura le petit homme. *Ils* sont toujours là, vous savez.

— « Ils »? répéta Mulder.

— Les insectes! s'écria Eckerle en frissonnant. Ils grouillaient sur ce pauvre homme, quand je suis redescendu, et... quand ils m'ont vu, ils sont retournés se cacher dans les fissures du mur. Mais pas parce qu'ils avaient peur. Parce qu'ils s'étaient suffisamment amusés pour la journée! C'était horrible!

Frass tapota son arme de service d'un air satisfait :

— Ne vous en faites pas, nous avons assez de balles pour tous les insectes du coin! Mais on va avoir besoin de vous poser quelques questions, j'en ai peur.

Eckerle avait compris. Avec regret, il suivit les deux hommes jusqu'au sous-sol.

Là, ils trouvèrent le Dr Newton, un homme d'une quarantaine d'années, au front dégarni, et qui portait des petites lunettes sans monture. À ses côtés, deux assistants effectuaient des tests sur le corps étendu sur le sol en ciment.

Eckerle resta prudemment en retrait tandis que Mulder et le shérif s'avançaient.

Ils examinèrent rapidement le cadavre. Celui-ci ne portait aucune trace apparente de coups, mais son visage s'était figé sur une expression d'horreur pure.

Mulder écouta patiemment le médecin légiste et Frass discuter de ce qui s'était passé. Puis, au bout de quelques minutes, il sortit de sa poche son téléphone cellulaire.

Il en savait maintenant assez...

Scully décrocha à la première sonnerie.

— Je crois que tu ferais mieux de venir ici!

— Pourquoi? Que se passe-t-il?

— Apparemment, les cancrelats se mettent à attaquer et à tuer les gens dans la région.

— Mulder, je ne vais pas te poser la rituelle question : « Est-ce que j'ai bien entendu ce que tu viens de dire? », parce que je *sais* que j'ai bien entendu, hélas!

— Écoute, j'ai devant moi un employé d'une firme de désinsectisation. Quand on l'a trouvé, son corps était couvert d'insectes. Le shérif d'ici me dit que deux autres corps ont été découverts dans les mêmes circonstances cet après-midi même.

— Où es-tu exactement dans le Massachusetts?

— Une petite ville appelée Miller's Grove. Il y a,

tout près d'ici deux universités et deux compagnies spécialisées dans les produits de haute technologie, ce qui me laisse à penser que la région regorge de scientifiques. Les deux autres attaques de cafards ont respectivement eu lieu chez un biologiste moléculaire et chez un physicien. Le témoin du dernier drame est un chimiste qui travaille sur des carburants expérimentaux. Ce sont tous des personnes intelligentes, habituées à faire des observations. Leurs témoignages sont dignes de foi.

Derrière lui, Eckerle dit soudain au shérif :

— L'image des cancrelats recouvrant le corps de ce pauvre homme... Je la revois chaque fois que je ferme les yeux !

— Dans ce cas, ne fermez plus les yeux ! lui conseilla Frass.

— Et comment suis-je supposé dormir, hein ? Et surtout, où ? Je ne passerai sûrement pas la nuit ici ! En fait, je crois que je vais mettre ma maison en vente dès demain matin... mais personne ne voudra l'acheter... une fois que les gens sauront ce qui s'est passé ici...

— Vous feriez mieux d'aller vous installer à l'hôtel en attendant que nous résolvions cette affaire, proposa Frass.

— Vous pensez vraiment que vous allez trouver une explication à tout ceci ? fit Eckerle d'un air profondément sceptique.

— Bien sûr qu'on va trouver, c'est notre travail, monsieur ! répliqua le shérif d'un ton bien peu convaincant.

Pendant ce temps, Scully s'impatientait au bout du fil :

— Est-ce que le corps porte des traces de piqûres d'insectes ?

Mulder se tourna vers les policiers et demanda :

— Des piqûres d'insectes ?

Le Dr Newton haussa les épaules et fit signe que oui d'un air accablé.

Mulder se détourna pour répondre à sa coéquipière :

— Des tas. Pourquoi ?

— Beaucoup de gens sont allergiques aux cancrelats. Cette allergie peut avoir des conséquences mortelles.

Scully avait fait sa médecine, et dans des cas comme celui-ci, Mulder était toujours content de pouvoir recourir à ses connaissances.

— Tu veux dire que certains êtres humains peuvent mourir simplement parce qu'ils sont entrés en contact avec un cafard ?

— Si la personne a une allergie très prononcée, oui. Cela provoque ce qu'on appelle un choc anaphylactique.

— Un choc anaphylactique ? répéta Mulder.

Le Dr Newton avait entendu et fit signe qu'il était d'accord.

Scully continua son petit exposé :

— Ces réactions extrêmes peuvent survenir lorsque des gens se trouvent souvent en contact avec des cancrelats. Leur sensibilité s'accroît peu à peu. Ce groupe de sujets à haut risque comprend tous les employés des entreprises de dératisation et désinsectisation. Je pense que c'est l'explication de ton petit mystère.

— Bien, merci, je vais y penser.

Mais Mulder n'était pas satisfait.

— Cela dit, si tu n'es pas convaincu par mes arguments, je peux toujours venir te rejoindre ! proposa Scully.

Il fit un effort pour ne pas soupirer !

— Non, je te remercie. Je suis certain que tu as vu juste. Merci encore. On se voit dès que je suis de retour à Washington.

— Bonne nuit.

Mulder referma son téléphone.

— Qui était-ce ? demanda le shérif.

— Ma coéquipière et conseillère scientifique.

— Hum, je vois, elle vous donne les bons tuyaux, remarqua Frass.

— Oui, et elle me remet aussi les pieds sur terre.

CHAPITRE 5

Alice Wong était la première fille de son collège à être intronisée membre du club scientifique Albert-Steiner.

Il faut préciser que les deux autres étaient Albert Steiner lui-même et son meilleur ami, Jason Smith.

De toute façon, personne ne connaissait l'existence de ce club, à part Albert, Jason, et maintenant Alice. Elle aimait à considérer qu'être acceptée dans ce clan était un honneur. Après tout, c'était une façon de reconnaître qu'une fille pouvait être une aussi bonne scientifique qu'un garçon.

Et aujourd'hui, ces messieurs la gratifiaient d'un nouvel honneur : ils allaient lui faire visiter le laboratoire secret d'Albert, chez le grand Albert lui-même !

Alice se méfiait un peu tout de même. Elle soupçonnait Albert et Jason de préparer un rite d'initiation pour elle, genre bizutage. Elle essaya de ne pas montrer son inquiétude. Pas question de se laisser impressionner par des garçons !

Albert ouvrit la porte du grenier. Ses yeux brillaient derrière ses grosses lunettes.

— Je crois que ma dernière expérience va t'intéresser.

Alice le regarda. On aurait dit le Dr Frankenstein sur le point d'appuyer sur la manette et de donner vie à son monstre !

Albert poussa le battant d'un geste théâtral et passa devant ses amis.

Alice ouvrit de grands yeux en voyant la quantité de matériel qui encombrait. Becs Bunsen, microscopes, plaques à échantillons, éprouvettes, flacons de produits chimiques... sans parler des souris blanches qui tournaient en rond dans une petite cage.

— C'est cool, non ? fit fièrement Albert.

— Ouais, c'est cool, murmura Alice tout en se demandant depuis combien d'années on n'avait pas fait le ménage dans cet endroit.

Ce cher Albert n'avait pas l'air de se soucier des règles de stérilisation.

— Alors, raconte ! s'exclama Jason. Sur quoi cogites-tu en ce moment ? Tu en fais tout un mystère !

— Je voulais que mon travail soit parfaitement au point avant de le montrer.

Alice et Jason regardèrent leur ami introduire quelques cristaux dans une éprouvette, puis préparer une solution acide qu'il versa enfin dessus.

— Ça ne risque pas d'exploser, au moins ? demanda Alice avec une inquiétude certaine.

Jason renchérit :

— Elle a raison, j'ai entendu parler de tes dernières expériences. Il paraît que mon père a dû augmenter le prix de ton assurance après ce qui s'est passé !

Albert se contenta de hausser les épaules :

— On ne fait pas d'omelette sans casser des œufs !

Il continua de verser l'acide. Lorsque les cristaux furent entièrement submergés par la préparation, une fumée rose s'éleva de l'éprouvette. En quelques minutes, le grenier en était rempli.

— Alors, qu'est-ce que ça sent ? demanda Albert.

Alice se risqua à renifler.

— C'est sucré... un peu comme... comme...

— Ça sent exactement comme le parfum à la rose qu'utilise ma mère ! annonça triomphalement le petit génie en herbe.

— Albert, c'est bien joli et ça sent bon, mais à quoi ça sert ? demanda Jason.

— Je n'en sais rien, et ce n'est pas mon problème. Je suis un scientifique, pas un homme d'affaires, c'est différent !

Jason hésita :

— Je ne suis pas d'accord, il me semble justement qu'un scientifique devrait...

Il ne finit pas sa phrase, grimaça.

— Qu'est-ce qu'il y a ? demanda tout de suite Alice.

— Mon bras... ça me démange terriblement...

Jason commença à se gratter furieusement.

— Tu es peut-être allergique à cette fumée.

À ces mots, Albert hocha la tête et attrapa un gros carnet.

— Hmm, possibles réactions allergiques... murmura-t-il en griffonnant. Vous savez, je crois qu'il me reste encore certains détails à mettre au point pour ce produit.

Il fronça soudain les sourcils en considérant ce qu'il venait d'écrire, puis ferma les yeux pensivement.

Mais il les rouvrit rapidement lorsque Jason hurla :

— *Retirez-moi ça !*

Alice regarda le bras de son ami et fit un effort de volonté pour ne pas se trouver mal.

Du calme, se dit-elle, *ça ne peut pas être réel ! C'est un truc, un tour de passe-passe...*

Mais elle ne put s'empêcher de marmonner :

— Beurk... je crois que je vais être malade...

Albert resta, lui, très scientifique :

— Hmm, intéressant... je n'ai jamais rien vu de tel. Habituellement, ils ne s'intéressent qu'aux miettes de pain, ce genre de choses...

Un énorme cafard s'introduisait dans le bras de Jason. Et le pauvre Jason le regardait faire, immobile, les yeux agrandis par la terreur.

— Ne panique pas ! fit Albert à son ami. Il faut que nous le capturions vivant afin de l'étudier !

Mais Jason n'écoutait pas. Il se frottait désespérément le bras, essayant de chasser l'immonde bête. En vain ; il était trop tard. L'insecte était déjà sous la peau et remontait vers l'épaule, en faisant une bosse sous la peau.

— *Raaaa* !

Il hurla, sentant quelque chose lui toucher l'autre poignet.

— *Noooon* !

Un cancrelat s'y introduisait déjà.

Avant que ses amis aient pu intervenir, Jason attrapa un petit scalpel qui traînait sur la paillasse et se taillada le bras, essayant de trancher la bosse qui remontait toujours vers son épaule.

Alice cria.

— Arrête ! Tu vas te blesser !

Elle s'accrocha désespérément à lui pour tenter de l'arrêter. Mais il la repoussa violemment en arrière et se trancha la peau frénétiquement, bien décidé à arrêter la progression de l'insecte.

— Calme-toi, vieux ! fit Albert.

Comme ses paroles n'avaient aucun effet, Albert se jeta sur son ami et le plaqua au sol.

Alice fit pression sur le poignet afin de lui coller le bras sur le plancher pour lui faire lâcher le scalpel, mais le malheureux se débattait comme un fou.

Ensemble, Albert et Alice arrivèrent enfin à immobiliser Jason et à lui faire lâcher la lame.

Mais il était déjà trop tard.

CHAPITRE 6

— Voilà qui va me débarrasser de vous pour de bon, bande de sales bestioles ! s'écria Scully.

D'une main, elle maintenait la victime des insectes ; l'autre tenait une bouteille portant l'étiquette :

INSECTICIDE TUE TOUT.

— C'est pour ton bien, mon pauvre, tu te sentiras beaucoup mieux une fois que nous en aurons fini !

Mais le chien se débattait pour essayer d'échapper à son emprise.

Queequeg était un petit toutou entêté, et Scully dut faire de gros efforts pour l'empêcher de sauter hors de l'évier de la cuisine. Elle entreprit de le frotter vigoureusement avec la lotion antipuces, puis lui brossa le poil.

À cet instant, le téléphone sonna.

— Non, Queequeg, ne bouge pas !

Scully posa son chien dans l'évier, s'essuya les mains et décrocha.

Immédiatement, Queequeg profita de l'occasion et sauta à terre pour aller secouer sa fourrure humide sur le tapis.

Scully soupira. Dire qu'elle avait effectué un stage avec cet animal dans une école de dressage.

— Allô? fit-elle, décidant de ne pas prêter plus longtemps attention au toutou qui cherchait maintenant un coin où se cacher.

— Bonjour, c'est moi.

— Écoute, Mulder, je suis en train de faire quelque chose d'important et...

Mulder l'interrompit :

— Moi aussi, Scully.

— Ne me dis pas que c'est encore cette histoire de cafards! Je croyais que tu avais laissé tomber cette affaire.

— J'ai changé d'avis. Je crois que tu ferais mieux de venir me rejoindre.

Scully fit la grimace :

— Tu veux dire que les cafards ont attaqué de nouveau? demanda-t-elle. Ou plutôt, corrigea-t-elle avant qu'il ait pu dire un mot, tu *crois* que les cafards ont encore attaqué?

— J'ai juste devant moi le cadavre d'un adolescent nommé Jason Smith. Le médecin légiste du coin, le Dr Newton, et le shérif sont là aussi. Nous sommes en train d'interroger un jeune homme et une jeune fille qui ont assisté au décès. Ils étaient totalement hystériques quand nous sommes arrivés, mais ils se sont suffisamment calmés pour pouvoir nous raconter ce qui s'est passé. Scully, écoute-moi bien. Cette fois-ci, il ne s'agit pas d'allergie aux cancrelats! Les deux témoins nous ont raconté la même version des faits : la victime hurlait, et des cafards lui entraient sous la peau!

— Bien, avant de tirer des conclusions et avant que je prenne l'avion, revoyons les éléments de cette histoire ensemble, d'accord? proposa Scully.

— D'accord.

— Est-ce que les insectes sont encore dans le cadavre?

Mulder marqua un temps d'arrêt puis admit :

— Je n'en ai retrouvé aucun pour le moment. Mais le corps est couvert de plaies.

— Faites par les cafards?

— Non, la victime s'est servie d'un scalpel pour essayer d'extirper les insectes de sa chair, mais nous ne sommes pas sûrs que toutes ces blessures aient été causées par la lame, mis à part les points où les artères ont été tranchées.

— Tu veux dire que la victime s'est tranché les artères? demanda Scully.

— Apparemment.

— Donc, la victime est morte de la perte de sang qu'elle a elle-même provoquée, O.K.?

— C'est aussi ce que dit le médecin légiste, répondit Mulder à contrecœur. Mais cela ne signifie pas que nous n'avons pas affaire à une nouvelle attaque de cafards. N'oublie pas que, cette fois-ci, nous avons deux témoins.

— Mulder, peux-tu me dire dans quel genre d'endroit la mort a eu lieu ?

— Dans le grenier d'un des amis de la victime.

— Et que faisaient ces trois jeunes gens dans un grenier ?

— Apparemment, ils se servaient de cet endroit comme laboratoire pour conduire des expériences scientifiques.

— Quel genre d'expériences ?

— Ils ne le savent pas trop eux-mêmes, ils testaient un truc genre gaz chimique.

— *Un truc genre gaz ?*

— Nous n'avons pas encore réussi à en déterminer la nature, mais nous nous en occupons.

— Mulder, tu sais que certains produits chimiques peuvent provoquer des troubles mentaux lorsqu'ils sont inhalés. Une des hallucinations les plus classiques est de voir des insectes qui t'attaquent. Il se peut que le garçon qui s'est tranché les veines ait tout simplement été victime de cette terrifiante illusion.

— Et les deux autres ? Ils disent avoir vu les cafards, eux aussi.

— Mais ils ont également respiré la fumée chimique, j'imagine ?

Mulder soupira. Il répondit, mais sans aucun enthousiasme dans la voix :

— Oui, c'est exact.

— Le simple fait que le défunt ait crié : « Je vois

34

des bestioles qui m'attaquent ! » peut avoir suffi à leur suggérer la même chose. Surtout si le malheureux était en état de choc, ce qui a dû rendre ses affirmations particulièrement convaincantes. Ce genre d'hallucinations porte un nom : le syndrome d'Ekbom.

— Le syndrome d'Ekbom ? répéta Mulder.

Il marqua une pause, puis ajouta :

— Le Dr Newton a entendu ce que je viens de dire, et il me fait signe qu'il est d'accord avec ce diagnostic. Scully continua :

— Il est fréquent que les victimes de ce syndrome se mutilent, dans le but de se débarrasser des soi-disant insectes.

Un long silence à l'autre bout du fil...

Dana attendit, puis lui demanda d'un ton digne d'une hôtesse de l'air :

— Alors, Mulder, tu penses toujours qu'il serait utile que je vienne te rejoindre ?

Il répondit d'un ton las :

— Non, tu as probablement raison, désolé de t'avoir dérangée.

— Tu ne m'as pas dérangée. Si je peux faire quoi que ce soit pour t'aider, je...

— Non, tu ne peux rien faire.

— Dans ce cas, je te reverrai lorsque tu seras de retour à Washington ! Maintenant, si tu veux bien m'excuser, j'ai des tas de choses à faire.

Scully raccrocha et appela en regardant autour d'elle :

— Queequeg... petit, petit...

Le chien finit par revenir vers elle, l'air penaud, la queue entre les jambes.

Pendant ce temps, Mulder refermait son téléphone portable sous l'œil intéressé du shérif Frass. Scully avait raison, une fois de plus, et cela l'énervait.

— Est-ce que vous avez appris quelque chose d'intéressant en contre-interrogeant les témoins ? s'enquit-il, pour le principe et sans trop y croire.

Le shérif secoua la tête.

— Non, les gamins sont toujours sous le choc. Mais franchement, je pense qu'ils nous ont déjà dit tout ce qu'ils savaient.

— On pourrait leur faire subir des tests pour connaître la nature du produit qu'ils ont inhalé, proposa Mulder.

Cependant, il n'y croyait plus. La piste qu'il avait suivie était sans aucune valeur. Cette affaire était bouclée.

Soudain, tandis que le shérif discutait avec ses assistants, les yeux de Fox s'illuminèrent d'espoir.

Il traversa le labo sur la pointe des pieds, faisant signe à ses compagnons de ne pas broncher.

Enfin, il atteignit une table en métal.

Là, il se mit à quatre pattes, veillant à demeurer silencieux. Il resta immobile un moment puis, brusquement, bondit et attrapa quelque chose.

Il se releva d'un air triomphant, et montra au shérif sa main gauche qu'il tenait fermée.

— J'en ai pris un ! Il se promenait sous la paillasse. Vite, donnez-moi quelque chose dans quoi le mettre !

Frass prit un récipient en verre sur une des tables toutes proches et le lui tendit. Tout le monde s'approcha pour voir ce qui se passait.

Lentement, Mulder entrouvrit sa main, juste assez pour laisser l'insecte tomber et glisser dans le bocal.

Mais rien...

Il fronça les sourcils.

— J'ai dû le serrer trop fort. J'ai dû le tuer.

Il ouvrit carrément la main. Du cafard, il ne restait plus que de la poudre.

— Vous ne l'avez pas tué, fit le shérif, vous l'avez complètement écrabouillé, oui !

— Ce n'était peut-être pas vraiment un cafard, remarqua Mulder, réfléchissant à voix haute. Ce ne devait être qu'une carapace vide. Une bestiole a dû muer et nous la laisser comme souvenir avant de partir. Les insectes muent, vous savez.

À regret, Mulder fit glisser ces maigres restes dans le bocal.

— Pas de chance, dit Frass en voyant à quel point il était déçu. Peut-être que vous en attraperez un vrai la prochaine fois. Au moins, nous avons maintenant la preuve qu'il y en a eu ici.

Mulder regarda sa main, la frotta pour la débarrasser des dernières traces de l'exosquelette de l'insecte. Subitement, il changea complètement d'expression.

— Nous avons mieux que tout cela ! s'écria-t-il
d'une voix pleine d'excitation.

Il montra sa paume au policier :

— Shérif, cette carapace de cafard était en métal !

CHAPITRE 7

— Tout ça n'est pas bien grave, ce ne sont que des égratignures, expliqua le Dr Newton à Mulder.

Ils se trouvaient dans le bureau du médecin à l'hôpital de la petite ville.

— Est-ce que des fragments métalliques pourraient les avoir provoquées ?

— Écoutez, agent Mulder, attendons les résultats du labo avant de tirer des conclusions. Nous devrions bientôt avoir le rapport des gars qui ont analysé les restes de la carapace.

Mulder regarda sa paume. Les coupures ne saignaient plus, mais elles lui faisaient toujours un peu mal.

— Je crois déjà savoir ce qu'ils vont découvrir.

— Il est effectivement possible que votre théorie soit la bonne, soupira le Dr Newton.

Il s'éclaircit la gorge avant d'ajouter d'un air profondément embarrassé :

— Agent Mulder, en tant que médecin, j'ai pour

habitude de parler franchement à mes patients. Il vaut mieux dire la vérité, même lorsqu'elle est désagréable.

Il s'arrêta de nouveau, comme s'il avait peur de continuer.

Mulder remua les doigts. Ses blessures n'avaient vraiment pas l'air bien sévères. Le praticien semblait hésiter à lui annoncer quelque chose d'horrible.

— Ne vous en faites pas, sourit Fox. Je ne suis pas du genre à paniquer. Parlez-moi franchement.

Newton secoua la tête :

— Vous ne comprenez pas. C'est moi qui ai une question à vous poser. Je veux la vérité.

Se penchant en avant, il le regarda dans les yeux.

— Agent Mulder, je veux savoir ce qui se passe ici ! Mulder haussa les épaules.

— Je n'en sais rien. Je ne suis sûr de rien. Certains éléments dans ces affaires laisseraient à penser qu'il se déroule effectivement des choses étranges dans la région. Mais ma coéquipière, qui est restée à Washington, semble persuadée qu'il existe une explication très simple à tous ces événements. Nous n'avons pas pour le moment suffisamment d'éléments pour nous faire une opinion.

Cette réponse ne parut pas satisfaire Newton.

— Est-ce que nous courons un danger ? demanda-t-il en scrutant le visage de Mulder.

Celui-ci ne broncha pas et répondit froidement :

— Aucune idée.

— Est-ce qu'il faut que je demande à ma famille de quitter la région ? continua le praticien.

— Je ne sais pas.

Le Dr Newton allait insister à nouveau quand, au grand soulagement de Mulder, le shérif Frass entra dans la pièce.

— Tout est prêt, Doc, annonça celui-ci, vous pouvez examiner le cadavre du jeune homme quand vous voulez.

Newton se détourna un instant, se massa les tempes, puis soupira avec une profonde lassitude.

— Dites à mes assistants que j'arrive tout de suite, shérif. Je voudrais d'abord me passer un peu d'eau fraîche sur le visage. J'ai besoin de me réveiller. Je ne sais plus où j'en suis. J'ai l'impression de flotter en plein brouillard, je vois même flou. Tout est si étrange dans cette affaire.

Et il quitta la pièce en secouant la tête d'un air navré.

Frass et Mulder étaient seuls. Le gros bonhomme demanda :

— Qu'est-ce qui arrive à notre bon docteur ?

— Je crois qu'il est angoissé par le fait que je ne sache pas ce qui se passe ici.

Le shérif eut un petit sourire amer indiquant qu'il se mettait à sa place :

— ... Ouais, je comprends ça, mais... entre vous et moi... qu'est-ce qui se trame dans le coin ?

Mulder fit un effort pour ne pas s'énerver :

— Comme je viens de le dire au Dr Newton, shérif, je ne suis sûr de rien ! Nous en sommes encore au premier stade de cette enquête. Il serait totalement irresponsable de ma part de tirer des conclusions et d'alerter la population. Il n'y a rien de plus dangereux que les rumeurs et la panique.

Frass se rapprocha de Mulder d'un air presque menaçant :

— Allez, vous pouvez me le dire, à moi ! Je sais que vous travaillez pour le gouvernement et je peux facilement imaginer qui est derrière tout ça !

— Le fait que je travaille au F.B.I. ne fait pas de moi un expert en cafards ! rétorqua Fox en reculant d'un pas.

Face au mutisme de son interlocuteur, il demanda :

— Et si vous me disiez ce qui vous fait penser que le gouvernement est derrière tout ça ?

Le gros policier le regarda d'un air sincèrement étonné :

— Comment ? Vous voulez me faire croire que vous n'êtes pas au courant des expériences officielles qui ont lieu dans notre comté ?

Mulder sursauta :

— Des expériences ? Quelles expériences ?

— Il y a deux mois, un agent du gouvernement est arrivé ici. Il disait travailler pour le ministère de l'Agriculture. Il a loué deux acres de terre juste à la sortie de la ville. La première chose qu'il a faite, c'est de mettre une clôture autour de son terrain. Ensuite, il a construit, et pas une petite maison... un vrai grand bâtiment! Dans les semaines qui ont suivi, on lui a livré de grandes caisses scellées, et d'autres employés du gouvernement sont venus. Ils n'ont parlé à personne de ce qu'ils font, tout cela est, de toute évidence, top secret.

— Et vous en concluez quoi?

— Vous avez déjà entendu parler des abeilles tueuses, agent Mulder?

— Oui, bien entendu.

— Dans ce cas, vous savez que ces bestioles étaient le fruit d'une expérience scientifique qui a mal tourné. Elles se sont retrouvées accidentellement dans la nature, et ce sont des innocents qui en ont fait les frais!

— J'ai entendu des histoires à ce sujet, admit Mulder.

— Alors, qu'est-ce qui nous empêche d'imaginer que notre gouvernement ait créé de nouveaux insectes expérimentaux? Des cafards qui tuent! s'écria le shérif. Encore un coup fourré, et encore une affaire qu'on va étouffer, j'imagine.

Il regarda Mulder d'un air accusateur.

Mais, avant que celui-ci n'ait eu le temps d'ouvrir la bouche, une infirmière entra.

Elle alla prendre des instruments sur une petite étagère, puis ressortit. Mulder attendit qu'elle ait refermé la porte et se soit éloignée avant de dire fermement :

— Shérif, je pense que vous feriez mieux de garder

vos théories pour vous tant que nous n'aurons pas un peu plus d'éléments en main. Nous ne voulons pas causer une panique générale. Une crise d'hystérie collective est bien la dernière chose dont nous ayons besoin.

Mulder avait à peine fini sa phrase qu'un hurlement épouvantable retentit.

CHAPITRE 8

Fox Mulder et le shérif se précipitèrent aussitôt. Les cris venaient du couloir, de derrière une porte marquée :

TOILETTES HOMMES — RÉSERVÉES AU PERSONNEL
DE L'HÔPITAL.

Un attroupement s'était déjà formé : des infirmières, des médecins et des assistants médicaux en blouse blanche. Frass les bouscula et avança. Mulder le suivit et sortit son arme.

Ils entrèrent dans la pièce et virent tout de suite ce qui se passait : le Dr Newton gisait au sol, le visage contre le carrelage. Un jeune interne lui prenait le pouls. Un infirmier, pâle et tremblant, se tenait à ses côtés.

— C'est vous qui avez crié ? lui demanda le shérif.

— Ouais, et si vous aviez vu ce que j'ai vu, vous auriez crié, vous aussi ! répondit le jeune homme du tac au tac.

Il se mit à trembler de plus belle, comme si le fait

de se souvenir de ce qui s'était passé augmentait sa terreur.

— Calmez-vous, mon garçon.

L'infirmier fit un effort pour se contrôler :

— Facile à dire !

— Qu'avez-vous vu exactement ? lui demanda Mulder.

— Je suis entré, et je l'ai trouvé couché là, exactement comme il est maintenant...

Le témoin eut un haut-le-cœur avant d'ajouter :

— ... Sauf qu'il était couvert de cafards ! Des centaines et des centaines de cafards ! Saletés d'insectes ! J'ai horreur des insectes... Je ne comprends pas comment ils ont pu arriver ici, on est dans un hôpital bien tenu. Mais c'en était bien... et ils étaient sur lui, ils le recouvraient ! Je n'ai jamais rien vu d'aussi horrible, et j'espère ne jamais revoir ça de toute ma vie !

À l'expression du malheureux, Mulder se dit qu'il allait avoir de sacrés cauchemars pendant plusieurs nuits.

Il inspecta rapidement la pièce avec le shérif.

— Je ne vois pas le moindre cancrelat, remarqua Frass.

— Je suis sorti dans le couloir pour appeler au secours, expliqua l'infirmier, et quand je suis revenu, ils avaient disparu.

Mulder regarda les toilettes, puis, se rappelant que le Dr Newton lui avait annoncé son intention de se passer un peu d'eau fraîche sur le visage, il alla jeter un coup d'œil aux lavabos.

46

À peine s'était-il penché au-dessus du premier qu'il bondit et appela le shérif :

— J'en ai un !

Il y avait bien un cafard au fond de la cuvette du lavabo. Il gisait les pattes en l'air, les antennes immobiles.

Frass vint voir cela de plus près.

— Bon, au moins on sait qu'ils peuvent mourir. Mais je me demande ce qui l'a tué.

— Les spécialistes du labo nous le diront.

Mulder tendit prudemment la main pour attraper le cafard.

— Doucement ! murmura Frass. Souvenez-vous de ce qui s'est passé la dernière fois, ne le serrez pas trop fort !

Mulder hocha la tête.

— D'accord.

Il saisit délicatement l'insecte entre le pouce et l'index, l'amena à hauteur de ses yeux et l'examina.

— À première vue c'est un cancrelat normal, dit-il. Un cafard bien de chez nous...

Il n'eut pas le temps de dire un mot de plus.

Brusquement, l'insecte bondit d'entre ses doigts et sauta dans le lavabo.

Avant que le shérif ou Mulder aient pu intervenir, l'insecte s'était sauvé par le tuyau d'évacuation.

Frass soupira d'un air dégoûté :

— Agent Mulder... je crois qu'à partir de maintenant, et dans l'intérêt de cette enquête, il vaut mieux que ce soit moi qui prenne les cafards... en main !

Mulder ne répondit pas. Il fouilla dans sa poche et sortit son téléphone cellulaire.

Scully décrocha à la troisième sonnerie.

— Qui est mort cette fois-ci ? demanda-t-elle tout de suite.

— Le médecin légiste. On vient de retrouver son corps dans les toilettes des hommes, il était recouvert de cancrelats. Je crois vraiment que tu ferais mieux de venir.

— Tu as bien dit les toilettes des hommes ?

— Oui.

— Est-ce que je peux demander... aussi bête que cela paraisse... ce qu'il faisait là ?

Mulder répondit :

— Il semblait avoir une bonne migraine. Il disait voir trouble et voulait se passer un peu d'eau fraîche sur le visage.

— Ha, ha, oui, je vois ! Mulder, rends-moi service, va regarder ses yeux.

Mulder se pencha vers le cadavre et fit ce que sa coéquipière lui avait demandé.

— Qu'est-ce que je cherche exactement ?

— Est-ce qu'il y a du sang dans un de ses yeux ? Est-ce que la pupille en question semble anormalement dilatée ?

— Quel œil ?

— Mulder, écoute, il n'a que deux yeux ! Vérifie-les tous les deux !

Mulder souleva la paupière gauche de feu le Dr Newton, puis la droite.

— Tu as raison, Scully, annonça-t-il dans le téléphone. L'œil gauche est injecté de sang, et la pupille est dilatée.

— Je pense que c'est une rupture d'anévrisme cérébral qui a causé la mort de ce pauvre homme.

— Une rupture d'anévrisme?

Un des jeunes médecins qui étaient venus voir ce qui se passait l'entendit prononcer ces mots et fit signe que le diagnostic lui semblait juste.

Pendant ce temps, Scully continuait d'expliquer sa théorie par le menu :

— Tous les symptômes que tu me décris concordent, Mulder. La rupture d'anévrisme se produit lorsqu'un vaisseau sanguin éclate, quelque part dans le corps. Cela se produit très brutalement. Lorsque ce vaisseau cède directement à l'intérieur du cerveau, l'issue est la plupart du temps fatale.

— Mais qu'est-ce qui a pu provoquer cela?

— En général, le vaisseau sanguin responsable est affaibli. Il suffit d'une tension de n'importe quel genre pour qu'il cède. Dis-moi un peu, est-ce que le Dr Newton a fait des efforts physiques violents durant ses derniers instants?

— Non, pas du tout.

— Est-ce qu'il était émotionnellement stressé?

Mulder haussa les épaules et admit :

— Oui.

— Dans ce cas, je pense que nous tenons là une

explication plausible à sa mort, dit Scully. Bon, à moins que tu n'aies d'autres questions, j'aimerais bien aller me recoucher.

Mulder fit un dernier essai :

— Et les cafards qui le recouvraient ? Comment expliques-tu les cafards ?

— Est-ce que tu as réussi à en attraper un ?

Mulder hésita :

— Oui.

Il se mordit les lèvres et se força à ajouter :

— Enfin, presque...

— Je ne sais pas quoi te dire, mon pauvre.

Un silence. Scully appela soudain :

— Allô, Mulder, tu es toujours là ?

— Ben... oui.

— J'espère que tu n'es pas en train de te persuader que tu as affaire à une invasion de cancrelats tueurs !

— À ton avis ? Scully, est-ce que tu pourrais étudier cette possibilité ? Je suis dans un trou perdu, je n'ai pas accès à toutes nos banques de données.

— D'accord, je vais voir ça.

CHAPITRE 9

Fox Mulder n'était pas du genre à se tourner les pouces en attendant que Scully le rappelle.

Il était même plutôt occupé : en cet instant précis, il escaladait une barrière de sécurité.

Il faisait nuit noire.

De grands panneaux étaient accrochés au grillage :

ENTRÉE STRICTEMENT INTERDITE.

PROPRIÉTÉ DU MINISTÈRE DE L'AGRICULTURE.

Tout en enjambant la clôture, Mulder se demanda pourquoi on avait pris tant de précautions pour empêcher les petits curieux d'entrer ici. Après tout, la maison qui se trouvait au centre du terrain était des plus banales, un pavillon cossu comme on en voit des centaines dans les quartiers résidentiels de toutes les petites villes américaines.

Il arriva enfin au sommet de la grille, se laissa souplement retomber de l'autre côté et roula au sol afin de ne pas faire de bruit.

Il se dirigea immédiatement vers le bâtiment, en regardant continuellement autour de lui.

Mulder avait surveillé les lieux pendant plus d'une demi-heure avant de passer à l'action. Il n'avait pas repéré de gardes, mais cela ne voulait pas dire qu'il n'y en avait pas!

Drrrrrring!

Son téléphone cellulaire sonnait dans sa poche!

Il se dépêcha de l'ouvrir.

— Allô? murmura-t-il dans le petit combiné.

— J'ai fait les recherches que tu m'avais demandées.

La voix de Scully.

— Et qu'as-tu découvert?

— J'ai trouvé quelque chose... Pas grand-chose, mais cela peut t'intéresser.

Mulder dut faire un effort pour continuer de parler à mi-voix:

— Quoi? De quoi s'agit-il?

Il jeta un rapide coup d'œil vers la maison... Toujours pas de signe de vie.

— Dans les années quatre-vingt, expliqua Scully, un type de cancrelat qui n'existait jusque-là qu'en Asie fut retrouvé en Floride. Depuis, cette espèce très particulière s'est répandue sur tout le territoire des États-Unis et du Canada.

Plein d'espoir, Mulder posa la question qui lui brûlait les lèvres:

— Est-ce qu'ils s'attaquent aux humains?

— Désolée de te décevoir, mais la réponse est non. Ils sont simplement différents des cafards américains. Ils peuvent voler sur de grandes distances et sont attirés par la lumière.

Mulder suivait son idée :

— Mais ils n'attaquent pas les humains...

— Est-ce que tu m'écoutes ? s'écria Scully avec impatience. Je viens de te dire qu'une espèce de cancrelat en provenance d'un autre continent s'est installée aux U.S.A. Cela signifie que d'autres types d'insectes ont pu faire de même, des insectes qui, eux, s'attaquent peut-être aux gens !

Mulder avait presque atteint la maison. Le téléphone toujours collé à l'oreille, il s'approcha de la fenêtre et jeta un œil à l'intérieur.

Tout baignait dans l'obscurité.

— Ce que tu viens de me dire tient parfaitement debout, admit-il. Et je n'aime pas du tout ce que cela implique. J'ai découvert qu'une agence gouvernementale conduisait en secret des expériences ici même. Ils prétendent travailler pour le ministère de l'Agriculture, mais rien n'est moins sûr. Il faut vérifier.

Scully soupira :

— J'espère que tu ne comptes pas, une fois de plus, pénétrer sans autorisation dans un centre appartenant au gouvernement, hein ? Dis-moi que non ! Je sais que par le passé cette technique t'a plutôt réussi, mais c'est totalement illégal et je ne pense pas que les éléments que tu as actuellement en main puissent justifier...

— Trop tard, j'ai déjà franchi le périmètre de sécurité de l'endroit en question !

Il entendit Scully jurer entre ses dents :

— Mulder, tu es incorrigible !

Elle ne put cependant s'empêcher de demander :

— Alors, qu'est-ce qui se passe ? Qu'est-ce que tu vois ?

— De là où je suis, je ne vois pas grand-chose. Il y a une maison au centre de la propriété. Il va falloir que j'y entre.

— Sois prudent !

— Je ne suis pas prudent, d'habitude ?

— Je répète ce que je viens de dire : Sois prudent.

— J'avance vers la porte... elle est fermée.

— Ce n'est pas vraiment étonnant.

— Je crois que je peux l'ouvrir.

Il trafiqua la serrure jusqu'à ce qu'il entende un déclic.

— Ça y est ! fit-il dans le téléphone. Pas si moderne que ça, leur système de sécurité !

— On ne trouve plus de verrous de qualité, de nos jours, mon brave monsieur ! Même le gouvernement regrette le bon vieux temps où le matériel était fiable !

Mulder entrouvrit la porte et éclaira l'entrée avec sa lampe de poche.

— Je suis à l'intérieur. On dirait que la maison est vide.

Il examina les murs.

— Mulder, allô? Qu'est-ce que tu vois?

— Une maison normale, classe moyenne, rien de particulier. Il y a un grand living-room, des meubles simples mais confortables, une cheminée...

— Quand est-ce que tu emménages? demanda Scully.

Pendant ce temps, Mulder était passé dans la pièce suivante.

— Je suis à présent dans la cuisine. Appareils électroménagers modernes, murs qui ondulent...

Il s'arrêta de parler et regarda de plus près.

— Tu as bien dit *murs qui ondulent?* répéta Scully.

— Les parois de cette cuisine ondulent comme s'il y avait des vagues sous le papier peint, commenta Mulder en faisant jouer la lumière pour mieux voir.

La voix de Scully était pleine d'inquiétude quand elle demanda:

— Et qu'est-ce qui semble causer ces... ondulations?

— C'est bien ce que j'essaye de découvrir.

Il tapota la cloison avec le boîtier de sa lampe.

— C'est drôle, le mouvement devient plus rapide quand je tape...

— Sois vraiment très prudent et...

Avant qu'elle ait fini sa phrase, Mulder s'écria:

— Le papier peint est déchiré à un endroit! Si j'agrandis le trou, je devrais voir ce qui...

Il poussa un hurlement:

— *Haaaaa*!

— Mulder! Qu'est-ce qui se passe? cria Scully dans le téléphone. Mulder?

— Des cafards... Ils tombent par dizaines par le trou... Dix, vingt... je ne les compte plus...

Il les éclaira tout en reculant. Puis il examina la cuisine autour de lui. Il y avait des cancrelats partout. Ils s'arrêtaient lorsque la lumière passait sur eux, puis s'approchaient de nouveau dès qu'ils n'étaient plus dans le faisceau de la lampe.

Mulder était hystérique :

— Il y en a partout... je suis cerné ! Il faut que je les tienne à distance. Heureusement, on dirait qu'ils ont peur de la lumière. Si seulement je pouvais...

Puis il gémit :

— Ô mon Dieu...

— Mulder, qu'est-ce qu'il y a ?

— Ma lampe de poche. Les piles viennent de lâcher.

CHAPITRE 10

— Mulder! hurla Scully dans son téléphone. Mulder, que se passe-t-il, est-ce que tu es en...

— Faut que je file d'ici...

Elle entendit un *clic* caractéristique. Il venait de refermer son téléphone.

Dana savait qu'elle ne pouvait pas prendre le risque de le rappeler. Elle devait attendre en se demandant ce qui arrivait à son coéquipier. Et surtout s'inquiéter...

Pendant ce temps, Mulder était au cœur de l'action.

Sa lampe de poche morte dans une main, son téléphone refermé dans l'autre, il se tenait au milieu d'un océan de cancrelats, lorsque la lumière s'alluma brutalement dans la pièce.

Les insectes disparurent en un instant.

Et Mulder se trouva face à un nouveau problème. Un problème bien plus important...

Ou plutôt, non... pas un « problème », se dit-il tandis que ses yeux, s'adaptant à la luminosité ambiante, découvraient une silhouette se découpant en contre-jour dans l'embrasure de la porte.

Pas un « problème », plutôt un défi.

Un défi intéressant, d'ailleurs.

C'était la plus jolie fille que Mulder ait vue depuis longtemps. Elle avait des yeux marron clair et des cheveux noirs. Curieusement, sa chemise à carreaux, son short style safari et ses chaussures de marche lui donnaient un air très sexy.

Mais à l'expression sur son visage, Mulder comprit qu'elle était absolument furieuse.

— Qu'est-ce que vous fichez ici ? demanda-t-elle, ses yeux jetant des éclairs. C'est une propriété du gouvernement ! Vous n'avez pas le droit d'être là !

— Je suis agent fédéral.

La jeune femme ne changea pas d'expression :

— Moi aussi !

Il rangea son téléphone dans sa poche et sortit son badge pour le lui montrer.

— Agent spécial Fox Mulder, F.B.I.

— Dr Berenbaum, rétorqua la femme, département de recherche du ministère de l'Agriculture.

— Docteur Berenbaum, il faut que je vous pose quelques questions.

— Lesquelles ?

— Qu'est-ce qu'une fille comme vous fait dans un endroit pareil ?

Elle fronça les sourcils :

— Je vous demande pardon ?

— Votre mère ne vous a jamais dit qu'il existait des produits contre les cafards?

Le Dr Berenbaum rétorqua :

— Pourquoi, vous avez quelque chose contre les cafards?

Ahuri, Mulder bafouilla :

— Si j'ai quelque chose contre les cafards?

Il hésita, vit la lueur belliqueuse dans les yeux de la jeune femme, et décida qu'il ferait mieux de changer de tactique :

— Les cafards... heu... En fait, je m'y intéresse beaucoup.

— Vraiment? Alors venez voir mon labo!

— Je vous suis! fit joyeusement Mulder en voyant qu'elle consentait enfin à sourire.

Dès qu'il entra dans la petite pièce, il comprit que le Dr Berenbaum était, effectivement, une fanatique.

Des photos d'araignées ornaient les murs, exactement comme des posters de pin-up. Il y avait aussi des agrandissements de mouches et, bien entendu, un grand nombre de clichés représentant des cancrelats... beaucoup, beaucoup de cancrelats...

Mulder dut faire un effort pour empêcher son estomac de se retourner.

Il se força à prendre un ton léger et détaché pour remarquer :

— Je parie que vous êtes une spécialiste des insectes.

— Comment avez-vous deviné ?

— Est-ce que votre travail pour le gouvernement inclut des recherches sur les cafards ?

— Oui, justement. L'équipe de chercheurs que je dirige effectue actuellement une étude sur les cancrelats.

— Je peux vous demander dans quel but ?

— Nous observons comment ils réagissent à divers changements de température, de ventilation, et à certains types de nourriture. Plus nous en saurons sur leurs habitudes, mieux nous serons à même de découvrir comment les exterminer.

— Mais pourquoi faire tant de secret autour de ce projet de recherche ? demanda Mulder. Les gens du coin en sont arrivés à imaginer des tas de choses.

Berenbaum sourit :

— Vous pensez que nous devrions faire de la publicité ? Que nous devrions annoncer à ces braves gens que nous avons volontairement infesté de milliers de cafards une maison qui se trouve à quelques centaines de mètres de chez eux ?

— O.K. Je comprends votre point de vue.

Mulder décida de se risquer à poser quelques questions :

— Docteur, est-ce que les cafards que vous étudiez sont de type *normal* ?

— C'est la sous-espèce la plus courante, si c'est ce que vous voulez dire.

Mulder réfléchit un instant.

— Au cours de votre travail, avez-vous jamais rencontré un type de cancrelat qui soit attiré par les humains ?

Le Dr Berenbaum secoua la tête.

— Non, c'est une chose presque impossible. En fait, la plupart des cancrelats se lavent après avoir été touchés par un humain.

— Je ne savais pas qu'ils étaient si susceptibles.

— Je suis certaine qu'il y a des tas de choses que vous ignorez au sujet des cafards, agent Mulder.

— J'en suis sûr, et c'est pour cela que j'ai tant de questions à vous poser.

— Vous ne pouviez pas tomber sur quelqu'un de plus qualifié que moi.

— J'en ai bien l'impression.

— Je serai heureuse de répondre à toutes vos questions. Nous avons tellement d'a priori au sujet des insectes. Il faut que cela change.

— J'apprécie votre aide et je vous comprends. Beaucoup de gens ont également des idées préconçues au sujet des agents du F.B.I.

Ses yeux rencontrèrent ceux de la jeune femme.

Ils étaient noisette et firent frissonner Mulder. Il eut du mal à avaler sa salive, arrangea le col de sa chemise, et fit un admirable effort pour rester concentré sur le sujet de leur conversation.

— Donc, poursuivit-il, je suppose qu'il n'est pas possible, à votre connaissance, que des cancrelats attaquent un humain ?

— Les attaquer, non, répondit Berenbaum. Mais, bien évidemment, ces insectes sont attirés par l'humidité. On a entendu parler de cas où des cafards étaient entrés dans le nez ou les oreilles.

Avant d'avoir pu se retenir, Mulder avait porté la main à ses narines :

— Dans le nez ? s'écria-t-il en faisant la grimace.

— Qu'est-ce qui vous arrive ? Cette idée vous dérange ?

— Moi ? Oh, non, pas du tout.

Mulder regarda rapidement autour de lui, cherchant désespérément une bonne plaisanterie ou une phrase intelligente qui lui permettrait de changer de sujet.

Il repéra un gros insecte prisonnier sous une cloche de verre reliée à des électrodes.

— Qu'est-ce que c'est ?

— Un scarabée.

— Il fait partie de vos recherches ?

— Oui... c'est un projet personnel. La carapace des insectes contient des éléments chimiques qui peuvent être rendus luminescents par une décharge électrique. Regardez un peu.

Elle appuya sur un bouton. Un courant frappa le pauvre insecte. Immédiatement, son dos émit un halo bleu qui ressemblait presque à une flamme.

— Et c'est supposé prouver quoi ? demanda Mulder.

La jeune femme annonça fièrement :

— Je crois fermement que les OVNIs ne sont en fait que des essaims d'insectes.

Mulder fit un bond, comme s'il venait de prendre, lui aussi, du courant :

— Oh, je vois !

Elle remarqua la lueur dans ses yeux :

— Est-ce que, par hasard, vous vous intéresseriez non seulement aux insectes mais aussi aux OVNIs, agent Mulder ?

Il s'éclaircit la gorge :

— On peut dire ça comme ça...

— Que savez-vous des OVNIs ?

— Heu... pas grand-chose, mais je suis tout disposé à en apprendre plus.

— Connaissez-vous les caractéristiques qui restent constantes dans toutes les observations d'OVNIs ?

La jeune femme ne lui laissa pas le temps de répondre à sa question et poursuivit :

— Les témoignages parlent d'une soudaine lumière colorée dans le ciel, qui se déplace d'une manière apparemment non mécanique. Savez-vous que, souvent, ces OVNIs créent des interférences radio et produisent un bourdonnement sourd ? Et la luminescence disparaît toujours d'un seul coup.

— Il me semble effectivement avoir lu un ou deux rapports à ce sujet, fit Mulder.

— Dans ce cas, vous réalisez sans doute que tous ces phénomènes peuvent parfaitement avoir été causés par des insectes volant en essaim et passant à travers un champ électrique.

— Intéressant, docteur.

Ses yeux rencontrèrent de nouveau ceux de la jeune scientifique. Ils brillaient. Mulder eut l'impression de sentir un courant haute tension passer entre eux.

Le Dr Berenbaum remarqua :

— Les insectes sont des créatures vraiment fascinantes. Ce sont des êtres remarquables. Si beaux, si honnêtes...

Mulder haussa un sourcil :

— Honnêtes ?

— Les insectes naissent, vivent, meurent, mangent, dorment, se reproduisent. C'est tout ce qu'ils font, exactement comme nous, en fait. Mais au moins ces animaux ne se racontent pas d'histoires, ne se mentent pas.

Elle attendit un instant, puis demanda :

— J'espère que vous ne trouvez pas ma passion pour ces petites bêtes par trop malsaine.

— Non, en fait, je trouve cela plutôt... charmant.

Il allait dire autre chose quand son téléphone sonna.

Il le sortit de sa poche.

— Pas maintenant, Scully ! aboya-t-il.

Puis il referma sèchement le petit appareil sans attendre de réponse, le reglissa dans sa veste, et se tourna de nouveau, tout sourires, vers le Dr Berenbaum.

— Je suis heureuse de rencontrer quelqu'un qui me comprenne, dit-elle.

— Oui, je... j'ai toujours été attiré par les... insectes, lui assura-t-il.

Elle soupira :

— Tant de gens refusent de reconnaître leur beauté. Ils disent que ce sont de simples nuisibles et les regardent avec dégoût. Ils les appellent « vermine », « sales bêtes », ils ne voient en eux que des êtres répugnants, d'infectes bestioles gluantes.

Mulder soupira avec compassion :

— Les idées préconçues ont la vie dure.

— Les OVNIs aussi... fit-elle pensivement.

— Vous pensez que les OVNIs sont également le fruit d'idées préconçues, docteur ?

Elle sourit :

— Non, pardon... je pensais au fait que vous étiez intéressé et par les OVNIs et par les insectes, comme moi !

Mulder se dandina d'un pied sur l'autre pour cacher sa gêne.

— Le monde est petit !

— Vous croyez que nous avons d'autres choses en commun ?

— C'est fort possible, docteur.

Ce que Mulder ne disait pas, c'est qu'il avait très envie de découvrir la réponse à cette question.

CHAPITRE 11

Mulder était allongé sur son lit dans sa chambre d'hôtel. La pièce était plongée dans l'obscurité. La télévision était allumée, mais il ne la regardait pas vraiment. Il repensait à sa conversation avec le Dr Berenbaum. C'était décidément une jeune femme passionnante. Et il était très... encore une coïncidence... très intéressé par elle !

Soudain, un mot apparut sur l'écran et attira son attention :

CAFARDS !

Il se redressa pour regarder.

C'étaient les nouvelles régionales. Un reporter se tenait devant l'hôpital, éclairé par de puissants projecteurs.

« ... *C'est donc la cinquième fois qu'on retrouve une victime couverte de cafards,* racontait le journaliste. *Jusqu'à présent, la police refuse de confirmer que les insectes ont quoi que ce soit à voir avec ces morts.* »

Mulder sentit soudain une démangeaison derrière son oreille gauche. Il y passa immédiatement la main. Rien. Il continua donc de regarder le reportage.

« *La police dément également la rumeur selon laquelle les personnes défuntes auraient succombé au virus d'Ebola qui serait transmis par les insectes. Pour le moment, l'enquête est officiellement menée par les autorités locales, mais une infirmière de l'hôpital situé derrière moi affirme qu'un agent du F.B.I. se trouve sur les lieux.* »

Mulder perçut nettement quelque chose qui rampait sur son pied. Il repoussa immédiatement les couvertures... Rien.

Sur l'écran, on voyait à présent deux hommes en combinaison étanche jaune vif, du modèle utilisé pour éviter toute contamination bactérienne ou virale.

Le reporter commenta :

« *La police vous conseille de ne pas paniquer si vous voyez des cafards. Je répète : ne paniquez pas ! Appelez simplement les autorités et quittez immédiatement les lieux.* »

Mulder fit une grimace dégoûtée et se leva pour éteindre.

Ce journaliste aurait mérité des gifles : il ne s'y serait pas mieux pris s'il avait voulu provoquer une panique !

Mulder s'immobilisa brusquement.

Quelque chose le chatouillait... dans sa narine gauche...

Il souffla immédiatement et se mit les doigts dans le nez.

Rien.

Il soupira et se rallongea.

Mulder resta ainsi couché plusieurs minutes, espérant s'endormir. Mais comment dormir quand la dernière chose qu'il voulait faire, c'était justement fermer les yeux ? Il avait même envie d'allumer toutes les lampes de la pièce pour qu'il n'y ait plus un seul coin d'ombre.

Il finit par renoncer à trouver le sommeil, alluma la lampe de chevet et prit le téléphone...

— Mulder ?

Scully devait être inquiète ; elle avait décroché à la première sonnerie.

— Oui, c'est moi.

— Je suis bien contente que tu appelles ! Je m'étais couchée, mais j'avais pris le téléphone avec moi, sur l'oreiller, au cas où. Est-ce que tu vas bien ?

— Je n'arrive pas à dormir. Je crois que je suis en train de découvrir d'où viennent les expressions « avoir le cafard » ou « avoir le bourdon » !

— Alors, que t'est-il arrivé sur le site du prétendu centre de recherche du ministère de l'Agriculture ?

— Les recherches qui y sont menées vont bon train. J'ai rencontré le chef de l'équipe scientifique, le Dr Berenbaum.

— Un spécialiste des bébêtes ?

— Le terme exact est « entomologiste ».

— Je sais, mais cela revient au même. Alors, est-ce que ce Dr Berenbaum t'a dit comment les attraper sans les écrabouiller ?

— Non, mais elle m'a appris beaucoup de choses que j'ignorais sur les insectes.

— *Elle ?* répéta Scully.

— Est-ce que tu savais que les anciens Égyptiens vénéraient les scarabées ? Il est possible que les pyramides aient été construites en leur honneur.

— Passionnant ! Et est-ce que tu savais que George Washington avait une fausse dent en bois ?

— Bambi a aussi une théorie sur les OVNIs, continua Mulder.

— Elle s'appelle *Bambi* ?

— Sa théorie est que...

— Elle s'appelle Bambi ? répéta Scully en pouffant.

— Ses parents étaient naturalistes, expliqua Mulder.

— Et elle t'a parlé de ses parents ? Dis donc, vous devez avoir eu une longue conversation !

— Enfin bref... elle a une théorie selon laquelle les OVNIs seraient en fait des essaims d'insectes. Je dois avouer que je n'avais jamais entendu cette thèse auparavant. Je tiens à préciser qu'elle présente cette idée d'une façon très convaincante.

Scully l'arrêta tout de suite :

— Mulder, doucement ! Ne t'enthousiasme pas comme ça. Les scientifiques aussi se trompent ! Ils savent tout simplement se montrer persuasifs.

— Je peux t'avouer une chose ?

— Oui, bien sûr.

— Il y a un truc que je n'ai pas osé dire à Bamb... je veux dire au Dr Berenbaum, hésita Mulder.

— Et c'est ?

— Je... Je déteste les insectes !

Scully le rassura :

— Beaucoup de gens ont peur des insectes. C'est une réaction naturelle qui...

— Tu ne comprends pas, je n'en ai pas peur, je les *déteste* !

Il inspira à fond pour se calmer et expliqua plus posément :

— Un jour, quand j'étais enfant, j'étais en train d'escalader un arbre quand j'ai remarqué une feuille qui avançait vers moi. Et puis, j'ai réalisé que ce n'était pas du tout une feuille.

— C'était une mante religieuse ?

— Ouais, je vois que tu te souviens de tes cours de sciences nat.

— Et alors, qu'est-ce qui s'est passé ?

— J'ai hurlé, répondit Mulder. Mais pas de peur comme une mauviette. J'ai crié parce que j'étais face à face avec un monstre qui n'aurait jamais dû se trouver sur la même planète que moi. Est-ce que tu as déjà remarqué à quel point la tête d'une mante ressemble à celle d'un extraterrestre ? J'ai réalisé ce jour-là que l'univers était peut-être rempli d'êtres dans son genre, et que certains d'entre eux n'étaient peut-être pas aussi petits que l'insecte que j'avais devant moi.

— Mulder ?

— Quoi ?

— Tu es sûr que tu n'as pas tout simplement crié comme une mauviette ?

Avant qu'il ait pu répondre, ils entendirent tous deux un terrible hurlement.

— Mon Dieu, qu'est-ce que c'est que ça ? demanda Scully.

— Je n'en sais rien, mais ce n'est pas un cri de mauviette, en tout cas, et cela venait du couloir...

Il se leva et enfila ses vêtements.

— Il faut que j'y aille.

Il raccrocha.

CHAPITRE 12

Mulder déboula dans le corridor, percutant un homme qui courait en sens inverse.

Tous les deux tombèrent par terre.

Mulder se releva.

— Docteur Eckerle? Mais qu'est-ce que vous faites ici?

Il ne rêvait pas, c'était bien le scientifique chez qui l'exterminateur de cafards avait été retrouvé mort.

— Après ce qui s'est passé, je ne pouvais plus rester chez moi, expliqua celui-ci en se remettant sur ses pieds. Alors j'ai loué une chambre ici. Je suis un imbécile. J'aurais dû carrément quitter la ville, ou même le continent!

Pendant ce temps, les autres clients de l'hôtel étaient eux aussi sortis dans le couloir. Des femmes, des enfants, certains encore en pyjama, se précipitaient vers la sortie.

— J'ai entendu un cri. Est-ce que c'était vous, docteur? demanda Mulder.

Son interlocuteur s'exclama, grimaçant.

— Mon Dieu, quelle horreur !

— Vous avez découvert quelque chose d'horrible ? s'enquit Mulder calmement.

Eckerle eut un petit rire cynique :

— Horrible ? Je suppose que c'est le mot le plus adéquat pour décrire le cadavre d'un homme allongé sur son lit et couvert de cafards. Des insectes immondes, innommables ! Je ne sais pas combien il y en avait. Je n'aurais pas pu les compter. J'ai vu en une fois assez de cancrelats pour le restant de mes jours ! Maintenant, si vous voulez bien m'excuser...

Il fit signe à Mulder de s'écarter et se joignit à la foule qui quittait le bâtiment en courant.

Mulder ne fit rien pour l'en empêcher. Il savait qu'il était impossible de tirer quoi que ce soit d'une personne qui paniquait, comme Eckerle, à plus forte raison de la retenir.

Il sortit son arme et se dirigea vers la chambre d'où était venu le hurlement.

La porte était ouverte, la lumière allumée.

Fox risqua un œil à l'intérieur et aperçut effectivement un homme mort dans le lit. Le visage du malheureux était figé en une expression d'horreur intense.

Mais il n'y avait pas le moindre cafard en vue dans toute la pièce. Il vérifia tout de même tous les recoins.

N'ayant rien découvert, Mulder sortit son téléphone et composa le numéro du shérif Frass.

Celui-ci décrocha tout de suite.

— Alors, du nouveau? demanda-t-il dès que Mulder eut annoncé qui il était.

— Oui, de mauvaises nouvelles.

— Où êtes-vous?

— À mon hôtel, mais je suis bien le seul.

— J'arrive.

Une demi-heure plus tard, le shérif était sur place. Une équipe de la télévision lui filait le train. Mulder les regarda installer leur matériel tout en mettant Frass au courant de ce que le chimiste lui avait raconté.

— Bien entendu, nous ne pouvons pas prendre sa version des faits pour argent comptant, expliqua-t-il. Eckerle a peut-être vu quelque chose, peut-être même des insectes. Mais il faut se souvenir que ce qui s'est passé dans sa propre maison avec les cafards l'a profondément marqué psychologiquement. Il est possible que les autres locataires aient paniqué uniquement parce qu'il leur a dit avoir vu ces bêtes.

Il indiqua d'un mouvement de menton l'équipe de journalistes et glissa au shérif en guise de conclusion :

— Il y a de l'hystérie dans l'air...

— Allons, Mulder, les gens de cette ville ne peuvent pas avoir tous eu des hallucinations. C'est la sixième fois qu'on nous parle de cafards!

— Est-ce que vous avez reçu le résultat des analyses que nous avions demandées ?

— Je les ai apportés. Je me doutais que vous voudriez les voir.

Le shérif lui tendit une épaisse enveloppe.

— Si cela ne vous fait rien, j'aimerais me mettre un peu au calme afin de lire ça soigneusement.

— Je comprends, je vais m'occuper de ces imbéciles de journalistes ; je commence à avoir l'habitude, hélas !

Frass se dirigea vers l'équipe de reporters qui se ruèrent sur lui et déclara sans sourciller que la cause de la mort de la dernière victime n'était pas encore déterminée. Il n'y avait pas de raison de penser que ce qui se passait était inhabituel, et la police contrôlait parfaitement la situation.

Pendant ce temps, Mulder put prendre connaissance du rapport du labo.

Dès qu'il eut fini, il appela un numéro à Washington.

— Mulder, qu'est-ce qui se passe, cette fois-ci ? demanda immédiatement Scully.

— Un des clients de mon hôtel est mort. Il a été trouvé recouvert de cancrelats.

— Je te rejoins tout de suite.

— Une seconde. Ne tirons pas des conclusions trop hâtives. Je pense qu'il s'agit d'une réaction subite à la présence de cafards.

— Les chances pour que deux cas de choc anaphylactique se produisent dans la même ville et le même jour sont infimes. J'arrive !

— Tu m'as mal compris. Je voulais dire qu'à mon avis, le bonhomme est mort d'une crise cardiaque. La presse locale n'arrête pas de parler d'histoires de cancrelats qui tuent. Je pense qu'en voyant les insectes, la victime est morte de peur.

— Ouais... Tu ne m'enlèveras quand même pas de l'idée qu'il se passe des choses étranges dans ton village ! répliqua Scully.

— Pas forcément. Tu avais peut-être raison en disant que les décès avaient tous une explication rationnelle.

— De quelle victime parles-tu en particulier ?

— De toutes les victimes, dit Mulder en tournant les pages. Tu as dit que l'exterminateur d'insectes est mort d'un choc anaphylactique, le jeune garçon des coupures qu'il s'est infligées après avoir inhalé une substance hallucinogène, et le médecin légiste d'une rupture d'anévrisme cérébral.

— Exact, mais nous n'avons toujours pas d'explication à la présence des cafards sur les lieux de tous ces décès.

Mulder s'aperçut soudain qu'un des nombreux paragraphes qui composaient le rapport lui avait échappé. Il le lut et ajouta :

— Et nous n'avons pas non plus d'explication permettant de comprendre pourquoi la carapace d'un de ces insectes était faite de métal !

— De métal ? De quoi parles-tu donc ?

— J'ai les analyses du labo sous les yeux. La carapace de cafard que j'avais ramassée... elle était en métal.

— Mulder, j'arrive !

Il haussa les épaules :

— C'est à toi de voir.

CHAPITRE 13

Mulder était certain que Scully avait fait sa valise avant même qu'il ne l'appelle. Après tout, ce n'était pas une mauvaise chose qu'elle vienne. Elle découvrirait peut-être des détails qui lui avaient échappé...

Mais Mulder oublia presque aussitôt Scully : tandis qu'il réfléchissait à sa venue, il remarqua une petite boîte marron et rectangulaire située sous le téléviseur. Il savait ce que c'était.

Sous prétexte de relacer sa chaussure, il se pencha et regarda de plus près. C'était bien ça : un piège à insectes. On avait surnommé le modèle « hôtel à cafards ».

Il le prit, l'orienta dans la lumière et y jeta un œil.

Il aperçut un cancrelat qui avait abandonné le combat pour sa survie. La bestiole avait réussi à dégager trois de ses pattes de la glu qui recouvrait le sol du piège, mais le reste de son corps y était définitivement collé.

— Je connais quelqu'un qui va être ravi de faire ta connaissance ! lui dit Mulder.

Il mit l'objet dans sa poche et se dirigea vers la porte.

La plupart des gens auraient protesté si on les avait réveillés au beau milieu de la nuit pour leur montrer un cancrelat à moitié mort. Mais pas le Dr Bambi Berenbaum.

Mulder avait à peine fini de lui raconter ce qu'il avait trouvé, et surtout *où*, qu'elle se précipita dans son laboratoire pour examiner le précieux insecte.

Elle était littéralement radieuse lorsqu'elle extirpa le cadavre du piège à l'aide de pinces.

— Vous pouvez me dire de quel genre de cafard il s'agit ? demanda Mulder.

— Je devrais ; il est encore en un seul morceau.

Elle retourna la bestiole dans tous les sens et regarda longuement son abdomen.

— Ce cancrelat est d'un type unique, remarqua-t-elle.

— Je suppose qu'il a une musculature plus puissante que les cafards ordinaires...

— Oui, par rapport au cancrelat...

Bambi plaça l'insecte sous la lamelle de son microscope électronique et l'examina.

Soudain, elle changea d'expression :

— ... Cela dit, si l'on tient compte du micropro-
cesseur...

Mulder se rapprocha :

— Vous voulez dire que cette bête est en fait un
automate ?

— Voyez vous-même.

Elle lui céda son tabouret.

Mulder regarda dans le microscope.

— Désolé, docteur, mais je ne suis pas un scientifique. Il va falloir que vous me disiez ce que je suis
supposé voir de si extraordinaire dans cette bestiole.

— Ce que vous avez sous les yeux n'est pas un
insecte.

— Vous voulez dire que vous n'en avez jamais vu
de semblable auparavant ?

— Exact.

— Vous n'avez jamais entendu parler de ce genre
d'engin ?

Elle réfléchit un moment avant de répondre.

— J'ai effectivement lu quelques articles sur le
sujet dans des revues scientifiques.

— Et que disaient ces articles ?

— Ils parlaient d'un savant qui travaillait sur
l'intelligence artificielle, c'est-à-dire des ordina-
teurs capables de pensée autonome. Il construisait
des robots informatisés programmés pour se
comporter comme des insectes.

— Vous pensez qu'un tel projet est réalisable ?

Bambi fit la moue :

— Je n'ai jamais vu ces robots de mes yeux, mais dans le monde de la science tout est possible tant qu'on n'a pas prouvé le contraire ! En fait, je me souviens avoir demandé à des collègues ce qu'ils savaient de ce type. D'après ce qu'ils m'ont dit, c'est un scientifique extrêmement brillant. J'avoue que j'avais l'intention d'aller lui rendre visite à l'improviste, un de ces jours.

Mulder ne put s'empêcher de laisser transparaître son enthousiasme dans sa voix :

— Lui rendre visite à l'improviste ? Vous voulez dire qu'il habite dans la région ?

— Oui.

— Comment puis-je me rendre chez lui ?

— Son labo se trouve de l'autre côté de la ville, répondit Bambi. Mais je préfère vous prévenir tout de suite : on raconte également des histoires étranges à propos de cet homme.

— Quel genre d'histoires ?

— Il paraît que le Dr Alexander Ivanov est un peu excentrique.

— Excentrique ?

— Je pense que le mot exact serait bizarre.

Mulder haussa les épaules :

— Vu la nature étrange de toute cette affaire, je ne m'attends à rien d'autre qu'à du bizarre !

Le Dr Bambi Berenbaum lui dessina gentiment un plan pour se rendre chez Ivanov.

Mulder sortit en se demandant s'il n'aurait tout de même pas dû vérifier le sens du mot « bizarre » dans le dictionnaire...

CHAPITRE 14

Mulder se tenait devant un petit bâtiment en brique rouge, situé juste à l'extérieur de la ville. Une pancarte annonçait :

INSTITUT DE ROBOTIQUE

DU MASSACHUSETTS.

Il ouvrit lentement la porte et entra prudemment à l'intérieur. Tout était calme. Il avança dans le couloir aux murs blancs et arriva devant une autre porte.

Mulder tourna doucement la poignée. Elle n'était pas fermée. Il ouvrit et jeta un œil.

Il aperçut un terminal d'ordinateur ultramoderne, une paillasse avec microscope électronique, un établi à l'ancienne avec tout ce qu'il fallait pour travailler le métal... et aussi une table couverte de puces et de composants électroniques divers.

Mulder entra carrément et alla examiner cela de plus près. En s'approchant, il vit quelque chose bouger sur le sol.

C'était un petit robot métallique avec deux antennes frontales qui filait à toute allure sur le carrelage, à la manière d'une fourmi. Mulder allait le suivre, quand il entendit du bruit derrière lui.

Il se retourna et se trouva face à un homme en fauteuil roulant. Son corps était petit et difforme, sa tête semblait énorme en proportion. Ses yeux noisette, grossis par les verres épais de ses lunettes, observaient attentivement Mulder.

— Docteur Ivanov?

Le malheureux avait apparemment perdu l'usage de ses cordes vocales. Lorsqu'il répondit, ce fut grâce à une voix synthétique émise par un système attaché à sa gorge. Cet appareil devait être le dernier cri en matière d'équipement pour handicapés, mais le son qu'il produisait rappela à Mulder celui d'une radio mal réglée.

— Pourquoi effrayez-vous mes robots? demanda Ivanov en faisant rouler son fauteuil vers son visiteur.

Celui-ci sortit son badge:

— Agent spécial Mulder, F.B.I. Je travaille sur une affaire qui pourrait avoir un lien avec vos recherches.

Ivanov étudia soigneusement la carte.

— Vous n'aviez pas besoin de pénétrer ici en cachette, jeune homme. Je suis toujours heureux d'aider les autorités, et j'adore parler de mes recherches.

— Je crois que vous travaillez sur l'intelligence artificielle?

— C'est cela. La modestie devrait m'interdire de vous dire que je suis le meilleur de ma spécialité, mais comme personne ne m'arrive à la cheville... je vous le dis tout de même!

— Je crois savoir que vous essayez de fabriquer des insectes mécaniques?

— C'est également exact.

— Puis-je savoir en quoi ces deux activités sont liées?

— Suivez-moi, je vais vous montrer.

Le savant fit avancer son fauteuil jusqu'à la grande table. Mulder le suivit.

— Voici ma dernière création, je l'ai presque terminé.

Ivanov lui montra ce qu'il tenait au bout de ses pinces de travail.

Mulder se pencha. C'était un petit robot-insecte en métal brillant. Quatre de ses six pattes s'agitaient dans le vide.

Le Dr Ivanov parla à l'objet comme s'il s'agissait d'un animal domestique :

— Ne t'en fais pas, mon petit, tu iras bientôt gambader avec tes frères et sœurs.

Il reposa la précieuse machine sur la table avec le plus grand soin et se tourna vers Mulder pour ajouter :

— Tous les autres scientifiques essayent de fabriquer des robots qui ressemblent à des hommes. J'ai décidé de m'y prendre autrement. Le cerveau humain est trop complexe — trop de pensées à la fois! Les insectes fonctionnent différemment.

Ils ne pensent pas, ils réagissent aux stimuli, sans plus.

Mulder fit signe qu'il comprenait, puis s'immobilisa : un autre petit robot se dirigeait droit sur lui. Il s'écarta. La machine bougea de façon à se trouver de nouveau devant lui.

Ivanov sourit :

— Vous voyez, cela fonctionne merveilleusement. Je me sers des insectes comme modèles pour mes machines. Leur programme est des plus simples : aller vers la lumière, fuir la lumière, aller vers les objets en mouvement, éviter les objets en mouvement, et ainsi de suite. Ils ont seulement besoin de quelques capteurs et de ces instructions réflexes pour se comporter comme de véritables insectes.

Mulder continuait de faire des pas de côté, et le robot n'arrêtait pas de le suivre.

— Donc, cette machine-ci, par exemple, a pour instructions de se diriger vers tout objet en mouvement qui se trouve à portée de ses capteurs ? demanda-t-il.

— Non, pas du tout.

Mulder dansait maintenant littéralement la gigue pour éviter l'insecte mécanique.

— Mais alors, pourquoi me suit-il ainsi ?

— Je crois qu'il vous aime bien.

La voix synthétique d'Ivanov émit quelques crachotements qui devaient correspondre à un rire. Le savant se pencha pour attraper le robot, régla quelque chose sur son abdomen, le reposa au sol et le regarda s'éloigner à toute vitesse.

Mulder vérifia que la bestiole avait bien fichu le camp avant de demander à Ivanov :

— Qui finance vos recherches ?

— La NASA. J'ai un contrat avec le gouvernement.

— En quoi vos recherches en robotique sont-elles liées à l'exploration spatiale ?

— Je fabrique les robots les plus perfectionnés du moment, et la NASA souhaite en envoyer étudier les planètes, et même les galaxies les plus distantes, expliqua le scientifique. Les robots sont beaucoup plus efficaces que les êtres vivants. En fait, je pense même que, d'ici à quelques années, les hommes n'auront plus leur place dans la conquête spatiale. Tout sera fait par des machines.

Mulder hocha la tête d'un air impressionné :

— Je vois que vous avez vraiment réfléchi à la question, docteur.

— J'y ai beaucoup réfléchi et j'y ai beaucoup travaillé ! annonça le savant en se redressant fièrement sur son fauteuil. Et vous pouvez déjà voir les résultats. Je pense qu'il n'est pas présomptueux de dire que mon travail restera dans les annales de la science comme le plus beau succès de la fin du vingtième siècle !

— Remarquable !

Mulder se dit que la modestie n'était décidément pas le point fort du Dr Ivanov. Mais le bonhomme avait l'air de bien connaître son affaire et il était prêt à en parler. C'était tout ce qui l'intéressait.

— Supposons qu'il existe des formes de vie extra-terrestre... commença Mulder.

Le savant l'interrompit :

— Pas besoin de « supposer ». Les extraterrestres existent. Je tiens le fait pour acquis.

— O.K. Donc, mettons que ces créatures de l'espace soient technologiquement plus avancées que nous. Si vos idées sur l'exploration spatiale sont exactes...

Le Dr Ivanov avait déjà compris où il voulait en venir et finit sa phrase pour lui :

— ... il y a de fortes chances pour que les explorateurs envoyés par les extraterrestres pour visiter la terre soient des robots. Les gens qui s'imaginent que nous allons être envahis par des monstres avec de gros yeux et à la peau grisâtre devraient arrêter de lire de la science-fiction de série Z, cela leur abîme le cerveau ! Moi-même, j'adore la S.F. de qualité, mais il y a une différence entre le rêve et la réalité.

— Docteur Ivanov, je pense que vous pouvez m'aider à trouver la solution à un petit problème auquel je me suis trouvé confronté.

— Je suis toujours heureux de rendre service au gouvernement. Je ne vous ferai même pas payer pour cet entretien.

— J'ai besoin de savoir ce que c'est, fit Mulder en lui montrant un sac plastique portant l'estampille : F.B.I. — PIÈCE À CONVICTION.

Le sachet scellé contenait le cafard mort qu'il avait trouvé dans le piège.

Ivanov l'examina de loin :

— Je ne suis pas un spécialiste en insectes. Vous feriez mieux d'aller consulter un entomologiste. On m'a dit qu'il y avait non loin d'ici une équipe qui travaille sur un projet intéressant. Je crois que leur directeur est une jeune femme, le Docteur Berenbaum. Ces gens seraient plus à même que moi de...

— Docteur Ivanov, je suis venu parce que je sais que vous êtes la personne la plus qualifiée pour m'aider.

Ivanov haussa les épaules, prit le sac, l'ouvrit, et commença l'examen.

Mulder ne dit rien et l'observa tandis qu'il examinait le microscope électronique.

Le savant sembla soudain se figer. Il ne bougea pas, ne respira pas pendant une bonne minute, puis il cligna des yeux et se redressa péniblement.

Il se pencha de nouveau sur l'insecte, puis se laissa retomber en arrière sur sa chaise roulante, sans force, la bouche ouverte, le souffle court, comme s'il avait reçu un coup de poing dans l'estomac.

— Docteur Ivanov, ça va ? demanda Mulder.

Le scientifique marmonna vaguement que oui. Il n'avait plus la force de bouger.

— Docteur, pouvez-vous identifier ce spécimen ?

Ivanov remua les lèvres, mais aucun son ne sortit de son haut-parleur. Mulder s'aperçut alors que sa gorge n'était plus en contact avec le micro.

Il s'approcha de lui :

— Monsieur, pourriez-vous essayer de me répondre ?

Ivanov fit un effort et se pencha un peu, jusqu'à ce qu'il entre en contact avec le capteur.

Le son qu'il émit ressemblait à un croassement, mais Mulder comprit tout de même ce qu'il disait :

— Ce spécimen... Je n'ai jamais rien vu de semblable.

CHAPITRE 15

D'habitude, Dana Scully était une conductrice prudente. Mais sur la route qui la menait dans le Massachusetts, elle écrasa le champignon sans se préoccuper des limitations de vitesse. Elle savait que Mulder avait besoin de son aide.

Plus elle se rapprochait de Miller's Grove, plus elle avait hâte d'arriver. La première chose qu'elle remarqua en entrant dans l'État du Massachusetts fut que la circulation y était particulièrement dense. C'était encore le milieu de la nuit, mais on se serait cru à six heures du soir en plein centre de Washington. Tous les véhicules — minibus, voitures personnelles, camions — semblaient quitter l'État.

Scully était absolument seule sur son côté de l'autoroute.

Il fallait qu'elle s'arrête quelque part : elle n'avait pas de carte de la région. Elle repéra une station-service-supérette qui était encore ouverte. Des voitures faisaient la queue aux quatre pompes à essence. Les conducteurs klaxonnaient avec impatience.

Scully réussit à trouver une place sur le parking mais dut jouer des coudes pour entrer dans le magasin. C'était pire que dans le métro à une heure d'affluence. Dana se fit bousculer par des hommes, des femmes, des enfants qui sortaient de la boutique en courant. Ils serraient tous dans leurs bras des produits divers, du paquet de biscuits à la batterie de voiture.

Les clients se battaient pour approcher des rayons et acheter ce qui restait. Scully faillit plusieurs fois être renversée.

Elle parvint enfin à atteindre les caisses et dut hurler pour se faire entendre par le gamin qui se trouvait derrière le comptoir, tant le vacarme était assourdissant :

— Excusez-moi, est-ce que vous avez des cartes de la région ?

Le garçon fit signe que oui. Il empochait l'argent des clients à pleines mains et le fourrait dans la caisse sans compter. Personne ne perdait de temps à demander un sac.

— Vous pouvez me dire où sont les cartes ? insista Scully.

Mais sa voix fut couverte par celle, tonitruante, d'un gaillard type rugbyman qui attrapa le caissier par le bras :

— Dépêche-toi un peu, petit ! ordonna-t-il.

— Mais qu'est-ce qui se passe ici ? cria Dana à l'intention de l'homme.

Le type jeta des billets de banque sur le comptoir et se tourna vers elle. Il transpirait à grosses gouttes.

— Voyons, mademoiselle, vous n'avez pas entendu ce qui se passe avec les cafards ? Ils dévorent les gens ! Ils les mangent de la tête aux pieds ! Vous feriez mieux de ficher le camp pendant que vous pouvez !

— Avez-vous vu des cafards vous-même ? lui demanda Dana en prenant soin d'avoir l'air calme et rationnel.

Elle ne voulait surtout pas ajouter à la panique qui régnait déjà dans le magasin.

— Non, répondit le rugbyman, mais tout le monde est au courant. Ils sont partout. Partout !

Comme si le simple fait d'avoir parlé des cafards augmentait sa peur, l'homme s'enfuit sans attendre qu'on lui rende la monnaie.

Une petite femme boulotte prit sa place devant la caisse. Elle avait les bras chargés de provisions et sortit de l'argent.

Tout en comptant ses dollars, elle dit à Scully :

— Ce grand crétin n'a rien compris. Les cafards n'attaquent pas du tout les gens.

— Je suis heureuse de vous l'entendre dire ! s'écria Dana. Si vous pouviez avoir la gentillesse de m'aider à essayer de convaincre toutes ces personnes qu'elles n'ont rien à craindre...

La femme continua de parler, comme si elle ne l'avait pas entendue :

— Les cafards transmettent un virus mortel ! Nous allons tous finir couverts de bubons et de cloques !

Le gamin derrière la caisse hocha la tête. Il croyait à cette version des faits.

La cliente ramassa ses affaires et partit en courant.

Scully comprit alors qu'il allait falloir qu'elle calme le jeu toute seule.

Elle sortit son badge :

— O.K., tout le monde, écoutez-moi ! Je suis l'agent spécial Dana Scully, du Bureau fédéral d'investigation. Je vous assure que vous ne courez aucun danger. Tout se passera bien si vous arrêtez de paniquer. Il faut que vous vous calmiez et que vous vous conduisiez comme des adultes responsables !

Elle attendit un instant, puis se tourna lentement vers le caissier :

— Bon, maintenant, vous pouvez peut-être me dire où se trouvent les cartes routières ?

Avant qu'il ait pu répondre, des cris résonnèrent. Deux femmes se battaient dans une des allées du magasin. Elles tenaient toutes deux la dernière bombe d'insecticide. Aucune ne voulait lâcher prise.

— C'est à moi ! hurlait l'une en tirant.

— Non, je l'ai vue la première ! Elle est à moi ! aboya l'autre en tirant elle aussi à deux mains.

— Donne-la-moi, ou tu vas prendre mon poing dans la figure !

— Ah, tu la veux ? Tiens !

Elle appuya sur le poussoir. Sa rivale reçut un jet d'insecticide en plein visage.

— Espèce de sale garce !

Elles se bousculèrent de plus belle et heurtèrent une pile de boîtes de conserve qui allèrent rouler sur le sol dans un fracas épouvantable.

Scully se dirigea vers elles d'un pas ferme :

— Ça suffit, vous deux !

Avant qu'elle ait pu les atteindre, un petit garçon montrait du doigt des petits points noirs qui couraient sur le sol :

— *Les cafards !* hurla-t-il hystériquement.

Scully se retrouva face à la charge des clients en folie. Elle faillit se faire piétiner. Tout le monde se sauva en criant dans la pagaille la plus totale. En moins de trois minutes, il n'y avait plus personne — pas même le caissier — dans le magasin.

Dana sortit son arme et s'approcha des cafards...

Elle soupira de soulagement quand elle vit ce dont il s'agissait réellement : des pastilles chocolat-menthe. Les deux femmes avaient renversé une boîte pendant leur combat.

Elle rangea son revolver, ramassa le paquet de bonbons et en mit un dans sa bouche. Elle n'avait pas mangé depuis des heures. Il faudrait qu'elle se sustente en arrivant à Miller's Grove.

Elle aurait besoin de toutes ses forces !

CHAPITRE 16

Mulder s'arrêta et se retourna. Le robot l'avait suivi hors du labo du Dr Ivanov. Soudain, la petite machine fit marche arrière à toute vitesse, comme si elle fuyait un danger.

Mulder repéra ce qui avait provoqué cette réaction : un cafard. Avant que la bestiole n'ait eu le temps de se sauver, il l'attrapa.

— Bienvenue sur la planète Terre ! lui dit-il en la tenant entre le pouce et l'index.

L'insecte agitait désespérément les pattes dans le vide. C'était vraiment une merveilleuse création, une imitation absolument parfaite. Heureusement que le Dr Ivanov n'était pas là pour voir ça ; le malheureux en aurait fait une jaunisse !

De retour chez Bambi Berenbaum, Mulder brandit sa trouvaille et annonça :

— Voici le meilleur spécimen que j'aie vu jusqu'ici. Cet insecte-robot est le produit d'une technologie supérieure. Pour un œil non exercé, il a l'air d'un cafard tout à fait normal.

La jeune femme sortit une grosse loupe et examina le trophée de Mulder.

— Évidemment qu'il ressemble à un cafard normal, *c'est* un cafard normal, un vrai !

Mulder fronça les sourcils :

— Mais que faisait-il chez le Dr Ivanov ?

— Son travail de cafard : il cherchait sûrement quelque chose à manger, ou de la chaleur, voire un endroit où pondre quelques milliers d'œufs. Les cancrelats vont partout, ils *sont* partout, surtout en cette saison, c'est pour cela que nous menons ce projet de recherche ici en ce moment.

Soudain, une sonnerie.

Bambi décrocha le téléphone. Mulder sortit le sien de sa poche.

— Ici Mulder, j'écoute.

— Mulder ? Ici Scully. Les habitants de cette petite ville sont en train de devenir fous !

— Où es-tu ?

— Dans ma voiture, sur le parking d'un magasin que les clients viennent de fuir à toutes jambes parce qu'ils avaient pris des pastilles de menthe pour des cafards ! Ils ne savent pas s'ils vont être dévorés vivants par des insectes ou attraper la peste... De l'hystérie collective caractérisée !

— Ces gens ne sont peut-être pas si fous que ça, rétorqua Mulder. Il se passe réellement quelque chose d'étrange dans cette région. En fait, je crois que c'est moi qui vais devenir dingo. Si je ne trouve pas rapidement la solution de ce mystère, je vais commencer à paniquer aussi !

— J'ai découvert quelque chose qui va beaucoup t'intéresser. Je pensais attendre d'être à tes côtés pour t'en parler, mais puisque tu as l'air d'avoir besoin qu'on te remonte le moral...

Intéressé, Mulder se redressa immédiatement :

— De quoi s'agit-il ?

— Tu m'as bien dit avoir rencontré un « Dr Eckerle » ?

— Oui, c'est lui qui a trouvé l'exterminateur mort. C'est aussi lui qui a découvert le cadavre à l'hôtel.

— Est-ce que tu sais s'il fait des recherches sur des carburants nouveaux ?

— Oui, c'est sa spécialité, pourquoi ?

— Dans ce cas, c'est bien lui le Dr Eckerle dont parle ma base de données. D'après l'ordinateur, il fait des études sur de possibles nouvelles utilisations du gaz méthane. Et la principale source de méthane n'est autre que les déjections animales.

Mulder fit une grimace :

— Les déjections ?

— Eckerle a une licence l'autorisant à importer dans le pays de grandes quantités de fientes. Je pense qu'il essaye de déterminer quel animal produit la variété la plus riche.

— Mon Dieu, Scully, le travail de cet homme m'a l'air absolument passionnant ! Mais en quoi cela a-t-il quelque chose à voir avec mon enquête ?

— Vérifie avec ta grande amie Bambi, mais je crois savoir que les cafards sont coprophages ; ils se nourrissent de déjections, et ils s'y reproduisent aussi. Cela veut dire que des cafards d'un type exotique ont très bien pu entrer dans le pays dans les containers que reçoit Eckerle. La maison du malheureux peut très bien être devenue le point de départ de l'expansion démographique de cet étrange insecte.

Mulder considéra tous ces faits nouveaux pendant quelques instants, puis dit :

— Scully, imaginons qu'une civilisation extraterrestre soit suffisamment avancée technologiquement pour envoyer sur terre des robots intelligents chargés d'explorer la planète.

Il attendit sa réaction.

Scully finit par soupirer :

— O.K., Mulder, *imaginons*, d'accord... je t'écoute.

— Est-ce que tu ne penses pas que ces extraterrestres pourraient fabriquer leurs robots de façon qu'ils fonctionnent au méthane, un gaz si commun sur notre planète où tant de formes de vie animale produisent des déjections ?

— Mulder !

— Quoi ?

— Je crois que tu es resté dans cette ville perdue un tout petit peu trop longtemps. Dis-moi plutôt où se trouve exactement le laboratoire du Dr Eckerle.

CHAPITRE 17

Mulder gara sa voiture à côté d'un grand bâtiment qui ressemblait à une usine. De gros tuyaux reliaient l'édifice à d'énormes citernes. L'installation tenait à la fois de la raffinerie de pétrole et du laboratoire de recherche informatique.

Dans la lumière des phares de son véhicule, Mulder vit la pancarte au-dessus de la porte principale :

ALT — CARBURANTS INC.

Juste en dessous, en lettres plus petites, la devise de la compagnie :

TOUT EST RECYCLABLE !

— Bambi, vous restez dans la voiture le temps que je m'assure qu'il n'y a pas de danger.

— Soyez prudent, ce ne sont pas les cafards qui me font peur, c'est l'être humain ! rétorqua la jeune femme.

Il claqua la portière et se dirigea vers l'usine en prenant soin de ne pas respirer par le nez l'air nauséabond.

Il décida de prendre les choses en main et se dirigea vers la porte principale. Elle n'était pas fermée et s'ouvrit sans problème.

Dans le rai de sa lampe de poche, Mulder découvrit un long couloir avec des portes.

Il entrouvrit la première. À l'intérieur se trouvait un énorme tas de fumier. Juste à côté de cette montagne puante, une table avec un ordinateur. Et, courant en tous sens sur le tas de fumier... des milliers et des milliers de cafards.

Mulder referma tout de suite la porte et se dit qu'il venait de voir le paradis des cancrelats !

Il alla dans la pièce suivante. Là aussi, un tas de déjections animales, une table avec ordinateur, et des cafards qui grouillaient.

— Tout est recyclable... se dit-il tout haut en repensant à ce qui était écrit sur la façade du bâtiment... je me demande si on peut aussi recycler les insectes...

Il vérifia encore une autre salle et découvrit exactement le même spectacle.

Finalement, il arriva au bout du long couloir et tomba sur une vaste pièce, agencée différemment et éclairée. Il rangea sa lampe dans sa poche et entra. C'était un laboratoire avec de longues tables couvertes d'équipements scientifiques. Le long des murs se trouvaient d'énormes réservoirs portant tous une étiquette rouge :

DANGER :
MÉTHANE — INFLAMMABLE.

Mulder jeta un rapide coup d'œil aux boîtes scellées posées sur une des tables.

Il n'en ouvrit aucune, examinant plutôt le contenu de gros classeurs. Mais il eut beau tourner les pages, il ne trouva rien de compréhensible pour lui. Il n'y avait là que des chiffres et des équations complexes.

Mulder reposa le dossier et alla voir ce que lui réservait la table suivante : une boîte semblable aux autres, mais ouverte celle-là. Son contenu, tout desséché, était posé à côté, et au sommet se tenait un cafard. L'insecte le regardait comme pour le défier.

Il n'avait jamais vu un cancrelat aussi gros. À côté de lui, le dernier qu'il avait attrapé était un nabot !

Il tendit la main pour essayer de le saisir, mais il ne put jamais finir son mouvement.

Une explosion assourdissante ébranla les murs.

Le cafard vola dans les airs avec les particules qui composaient le tas de fumier.

Un nuage de poussière tomba sur Mulder qui se roula tout de suite en boule sur le sol.

Il était sûr d'une chose. Ce n'était pas un cafard qui avait tiré ce coup de feu !

CHAPITRE 18

Scully freina à mort. Ses pneus crissèrent sur l'asphalte.

Il lui avait fallu du temps pour trouver le Centre de recherche sur les carburants alternatifs du Dr Eckerle.

Un véhicule stationnait déjà devant la porte. Dana sortit de voiture pour voir de qui il s'agissait.

À peine dehors, elle porta la main à son nez.

— Ô mon Dieu, quelle puanteur !

Elle alla tout de même regarder qui était là.

À sa grande surprise, elle découvrit une séduisante jeune femme assise sur le siège du passager.

Avant que l'inconnue ait pu dire un mot, Scully fit :

— Laissez-moi deviner... Vous êtes Bambi !

— Fox m'a dit de l'attendre ici pendant qu'il jetait un œil à l'intérieur.

Soudain, une détonation résonna dans la nuit. Cela venait de l'usine.

Scully et le Dr Berenbaum échangèrent un regard plein d'inquiétude.

— Vous voulez que je vous accompagne ? demanda cette dernière.

Dana sortit son arme.

— Non, ce n'est pas un boulot pour une entomologiste.

Le doigt sur la gâchette, Scully courut vers le sinistre bâtiment en espérant ne pas arriver trop tard.

Pendant ce temps, dans le laboratoire, Mulder effectuait un roulé-boulé sur le sol et se cachait sous une des tables.

Il sortit son revolver et se risqua à regarder ce qui se passait.

Au bout de la grande salle se trouvait une porte de bureau à moitié ouverte. De là où il était, il pouvait voir la plaque qui l'ornait :

DR JEFF ECKERLE

PRÉSIDENT ET CHEF DE

PROJET.

Et, justement, le Dr Eckerle se tenait là, un automatique encore fumant à la main.

Mais ce ne fut pas tant la vue de ce petit calibre qui inquiéta Mulder que la lueur de folie qu'Eckerle avait dans les yeux. Ses pupilles brillaient comme deux soleils.

Soudain, Mulder réalisa ce que le scientifique tenait dans l'autre main.

Une bombe d'insecticide.

Eckerle pivota soudain sur ses talons, visa quelque

chose dans son bureau avec le spray et appuya sur le bouton.

Rien n'en sortit. La bombe était vide.

— Crevez! Pourquoi ne crevez-vous pas tous? hurla-t-il.

Et il lança rageusement l'aérosol par terre.

Puis il leva son arme et tira plusieurs fois sur ce qu'il avait visé avec l'insecticide.

— Encore raté! grogna-t-il.

Mulder en profita pour sortir de sous la table, revolver au poing.

— Docteur? fit-il d'un ton apaisant.

Eckerle se tourna vers lui, l'air totalement hystérique.

— Ils sont après moi! brailla-t-il. D'abord dans ma maison... puis à l'hôtel... et maintenant ici! Je suis venu dans mon bureau pour me mettre à l'abri, mais ils me suivent! Il y a des cancrelats... partout... partout!

Mulder s'approcha prudemment de lui, en essayant à la fois de le regarder dans les yeux et de suivre tous les mouvements de son automatique. C'était un petit calibre, mais cela ne changeait rien : il suffisait d'une seule balle...

— Docteur, écoutez-moi, vous ne courez aucun danger. Ces insectes ne vous feront pas de mal!

Eckerle éclata de rire :

— Ha! Vous oubliez que je les ai vus tuer deux hommes!

— Vous avez vu des cafards sur les cadavres de

deux hommes, mais ils n'étaient pas responsables de la mort de ces individus. Cela dit, ces insectes inoffensifs peuvent indirectement nous tuer, vous et moi... si vous continuez à tirer des coups de feu dans cette pièce où flottent des vapeurs de méthane !

Le savant n'écoutait pas.

— Vous ne comprenez pas ! gémit-il d'une voix stridente, les insectes me rendent fou !

Mulder voyait bien que cela était, hélas, exact. Ce ne serait pas facile de faire lâcher son arme à cet homme !

— Pourquoi est-ce que ces cafards font ce bruit, hein ? s'écria soudain le chimiste en sursautant.

Mulder n'entendait rien de spécial, mais il répondit calmement :

— À Madagascar, il existe une espèce de cancrelat indigène qui émet des stridulations en faisant s'échapper de l'air par des trous situés dans sa tête.

Pendant une fraction de seconde, Eckerle retrouva un semblant de curiosité scientifique ; son expression changea, et il abaissa imperceptiblement son automatique.

— Vraiment ? Intéressant. Comment se fait-il que vous en sachiez autant sur ces insectes ?

— En fait, je ne sais pas grand-chose sur eux. C'est pour cela qu'il ne faut pas les tuer, docteur. Il faut les capturer pour les étudier. Posez votre arme, allez !

— Dites-moi d'abord une chose, murmura le scientifique d'une voix suppliante.

— Je répondrai à toutes vos questions.

— Est-ce que je suis devenu fou ?

Mulder sourit d'un air rassurant :

— Non, pas du tout. Vous avez simplement eu une semaine très difficile. Vous êtes très fatigué. Votre perception de la réalité est un peu déformée, c'est tout.

Eckerle fronça les sourcils.

— Ma perception de la réalité ?

Son visage s'éclaira comme si une idée géniale lui venait. Il pointa son arme sur Mulder.

— Si je ne vois pas les choses comme elles sont réellement, continua-t-il, comment puis-je savoir si vous n'êtes pas un cafard, vous aussi ?

— Docteur Eckerle, je vous assure que je suis un être humain, comme vous.

À cet instant précis, le téléphone sonna dans la poche de Mulder.

— Je vous ai entendu ! Vous faites le même bruit qu'eux ! Vous êtes l'un d'entre eux !

Scully attendit quatre sonneries, puis, comme Mulder ne répondait toujours pas, elle remit son téléphone cellulaire dans sa poche et s'avança dans le couloir, se demandant derrière laquelle de ces portes elle trouverait son coéquipier.

Les instants qui suivirent ressemblèrent à un cauchemar : elle ouvrait une porte, découvrait une masse grouillante de cancrelats... une autre porte, encore des cancrelats...

Puis elle entendit les coups de feu et courut dans la direction d'où ils venaient.

Le cauchemar devenait une terrifiante réalité.

Dans le laboratoire, Mulder plongeait de côté, évitant tant bien que mal chaque balle que tirait maladroitement le savant.

Bang! Il vit un trou apparaître dans le flanc d'un des réservoirs de méthane. Un geyser de gaz jaillit dans la pièce.

— Docteur Eckerle! hurla-t-il. Arrêtez de tirer immédiatement! Réfléchissez!

Mais Eckerle n'était plus en état de penser, ni même d'entendre ce qu'on lui disait.

Il tirait dans le vide, au hasard, le visage déformé par la rage et la folie.

Bang! Une autre balle venait de traverser un autre réservoir, laissant échapper un deuxième jet de méthane.

Bang! Et de trois!

Mulder regarda le savant qui levait de nouveau son arme. Il n'écouterait plus la voix de la raison, il ne restait qu'un seul moyen de l'empêcher de continuer à tirer : l'abattre ou le blesser.

Mais Mulder n'était pas du genre à tirer sur un homme en pleine crise d'hystérie. Et puis, son arme de service pouvait déclencher une explosion dans le labo, tout comme l'automatique d'Eckerle!

Pourtant, il fallait intervenir, sinon le scientifique allait ouvrir le feu, et ils mourraient tous les deux.

— J'ai été content de vous voir, docteur, fit Mulder en se précipitant vers la porte.

Il ouvrit le battant, et percuta Scully de plein fouet.

Ils gémirent tous les deux sous le choc et se regardèrent.

— Mulder, qu'est-ce qui se...

— Pas le temps de t'expliquer.

Il lui prit le bras et l'entraîna vers la sortie.

— Scully, il faut ficher le camp d'ici, tout va sauter!

CHAPITRE 19

Mulder et Scully atteignirent ensemble la sortie au bout du long corridor.

Une fois à l'air libre, Scully ralentit sa course mais Mulder la tira par la main de toutes ses forces.

Il fonça droit vers la voiture où le Dr Bambi Berenbaum l'attendait toujours et cria :

— Bambi, baissez-vous !

Il se coucha par terre en forçant Scully à faire de même. Le Dr Berenbaum se roula en boule dans le véhicule.

Bang! Bang! Bang! Bang! Bang! Bang! Bang! Bang!

Une série d'explosions se succédèrent en un crescendo dont le fracas les paralysa tous. On aurait dit un chapelet de pétards géants, un feu d'artifice monstrueux qui n'en finirait jamais.

Les détonations étaient de plus en plus violentes. Des flammes orange, rouge et jaune illuminèrent la nuit. Toutes les fenêtres du bâtiment volèrent en éclats. Le toit de métal explosa et retomba sur le sol en une pluie de morceaux tranchants. Des fragments de poutres d'acier, de briques furent projetés dans les airs.

Puis le silence revint enfin.

Mulder sentit quelque chose se poser sur sa tête, son cou, ses mains... Il était face contre terre et ne pouvait voir ce dont il s'agissait. On aurait dit qu'un nuage d'insectes l'avait recouvert.

Scully éprouva la même sensation.

Ils eurent tous les deux la même horrible idée.

Ils se levèrent et s'examinèrent l'un l'autre.

Ce qui était tombé sur eux n'était pas vivant... on pouvait le dire rien qu'à l'odeur !

Le purin contenu dans le bâtiment avait été soufflé par l'explosion.

Mulder renifla d'un air dégoûté.

— Crottin de cheval... marmonna-t-il.

Scully essayait de brosser ses vêtements du revers de la main.

— Peu importe, Mulder. C'est du purin, on ne va pas chercher à deviner l'année de la cuvée, hein ?

Elle soupira : il était inutile d'essayer de faire partir cette saleté en frottant.

— Je suppose qu'une bonne douche nous débarrassera de toute trace de cet événement, dit-elle à Mulder, mais je me demande ce que je vais raconter à mon blanchisseur !

Pendant ce temps, Mulder regardait ce qui restait du centre de recherche. Plusieurs foyers d'incendie illuminaient les décombres, donnant aux nuages des reflets roses.

Il réalisa soudain que tous les cafards avaient brûlé. Toutes les pièces à conviction étaient parties en fumée.

Une main se posa sur son épaule.

— Je suis désolée, Fox, dit le Dr Berenbaum. Je sais ce que vous devez ressentir.

Elle plissa soudain le nez et s'éloigna de plusieurs pas.

Avant que Mulder ait pu s'excuser pour l'odeur qu'il dégageait, une sirène de police hurla derrière eux. Ils se retournèrent tous les trois et découvrirent une voiture de patrouille qui arrivait à toute allure, gyrophare allumé.

Le véhicule s'arrêta, et le shérif Frass en descendit. Il regarda calmement les ruines fumantes.

— Des blessés ? demanda-t-il simplement.

— Le Dr Eckerle se trouvait à l'intérieur, répondit Mulder. Je ne pense pas qu'il s'en soit sorti.

— Vu ce qui reste de cette baraque, j'imagine qu'on ne retrouvera même pas son cadavre ! remarqua le policier.

— On ne retrouvera rien, rien du tout. Le méthane a pris feu ; tout a brûlé avant même les explosions.

— Enfin, cet incendie est moins meurtrier que ceux de la nuit dernière, fit amèrement Frass.

— Il y a donc eu d'autres feux ? demanda Dana en s'avançant d'un pas.

Frass lança à Mulder un regard interrogateur.

— Ma partenaire, Dana Scully. Scully, je te présente le shérif Frass, il travaille avec moi depuis le début de cette affaire.

Le shérif la salua et répondit à sa question :

— La nuit dernière, on a eu droit à quatre incendies, dix-huit accidents de voiture, treize agressions, deux pillages de magasins, avec en prime trente-six blessés, la plupart d'entre eux s'étant intoxiqués avec de l'insecticide.

— Vous avez dû passer une nuit agitée.

— Heureusement, tout cela a l'air d'être terminé, remarqua Frass.

Il s'arrêta de parler pour admirer les premiers rayons du soleil lançant des lueurs orange dans le ciel qui prenait, à l'horizon, des teintes bleu pâle annonciatrices du jour.

— Cela fait deux heures qu'on n'a pas eu d'appel à propos de cafards, poursuivit-il. Peut-être que cette ville est enfin revenue à la raison. Quant à vous, les agents spéciaux, vous avez des mines épouvantables. Je pense que vous feriez bien d'aller vous reposer un peu.

— Et nous doucher ! ajouta Scully en considérant avec dégoût sa veste de tailleur.

Pendant ce temps, Mulder s'était de nouveau tourné vers le Dr Berenbaum, qui se tenait prudemment à distance.

— Nous pourrions peut-être prendre le petit déjeuner ensemble et discuter des répercussions de cette affaire, proposa-t-il. Euh... après que j'aurai pris une bonne douche, effectivement !

Un autre véhicule arriva vers eux à cet instant. Une camionnette. Elle s'arrêta, la portière s'ouvrit, une rampe se déploya sur le sol, et le Dr Ivanov apparut, dans son fauteuil roulant motorisé.

— Agent Mulder, on m'avait bien dit que je vous trouverais ici. Le spécimen que vous m'avez montré hier... Est-ce que je pourrais y jeter de nouveau un coup d'œil?

Mulder sortit le sachet plastique de sa poche et l'ouvrit.

Il eut l'impression de prendre un coup sur la tête en voyant ce qu'il y avait à l'intérieur :

— Je suis désolé, docteur Ivanov, il est totalement détruit — écrabouillé. Il ne reste que de la poudre métallique et des fragments pas plus gros que ceux de la carapace que j'avais ramassée l'autre jour. Mais si vous voulez tout de même l'examiner...

Avec une expression d'intense curiosité, le Dr Berenbaum alla regarder par-dessus l'épaule d'Ivanov tandis qu'il étudiait le contenu du petit sac plastique.

— Vous savez, dit-elle, la plupart des insectes ne développent pas d'ailes avant d'être sur le point de muer et de perdre leur première carapace. Peut-être que ces insectes-ci... ou... quoi qu'ils soient en fait... que ces créatures s'apprêtaient à s'envoler pour retourner là d'où ils venaient.

— Voilà qui explique tout! s'écria cyniquement Scully.

— Agent Mulder, puis-je garder ce spécimen? demanda Ivanov. J'aimerais l'étudier plus avant.

— J'ai déjà fait analyser des débris semblables à ceux-ci, répondit Mulder. Les résultats disaient qu'il s'agissait d'un composé métallique. Qu'espérez-vous découvrir de plus?

Mais Ivanov était fasciné par les fragments de cafard qu'il contemplait avec passion. Il n'avait même pas entendu ce qu'on venait de lui dire.

Berenbaum, elle, avait entendu. Elle observa l'expression du savant et répondit à sa place:

— Son destin.

Ces mots semblèrent sortir le scientifique de sa rêverie. Il leva le nez. Leurs regards se croisèrent.

— Est-ce que ce n'est pas ce que le Dr Zaïus dit à Zira à la fin de *La Planète des singes*? demanda-t-il.

— C'est un de mes films préférés! sourit Berenbaum.

La voix synthétique d'Ivanov se fit soudain plus aiguë, sous l'effet de l'enthousiasme:

— J'adore ce film, moi aussi! Je suis passionné par la science-fiction classique!

Ils se regardèrent longuement en silence, puis Ivanov proposa:

— J'ai trouvé que *La Planète des singes* était un film d'une grande portée philosophique. Nous pourrions peut-être trouver un coin tranquille et en discuter.

Bambi Berenbaum avait l'air ravie:

— Cela me ferait infiniment plaisir! Et je dois ajouter que votre travail me fascine. Avez-vous déjà essayé de programmer des insectes-robots avec des comportements sociaux, à la manière des abeilles ou des fourmis ?

— Oui, justement, c'est un de mes projets !

Ivanov fit rouler son fauteuil et s'éloigna, suivi par la jeune femme.

Les derniers mots de leur conversation que Mulder put entendre furent :

— Docteur Ivanov, appelez-moi donc Bambi !

— Ils font un sacré tandem ! dit le shérif.

— Le couple parfait ! Ce devait être écrit dans les astres, commenta Scully.

Elle vit alors la tête de son coéquipier.

— Allons, Mulder, ne te laisse pas abattre ! Il ne faut pas te sentir rejeté ! C'est une nouvelle grande victoire pour l'humanité. Le temps qu'une autre armée de robots miniaturisés et mangeurs de purin nous envahisse, les petits-enfants de ces deux savants auront trouvé le moyen de sauver notre planète !

— Scully, je n'aurais jamais cru que je te dirais ça un jour, mais tu sens mauvais.

CHAPITRE 20

Tout était pour le mieux, se dit Mulder.

Scully avait raison. Bambi... enfin... le Dr Berenbaum... serait très heureuse avec Ivanov.

Quant à lui, agent spécial Mulder, il était fait pour vivre seul avec son ordinateur !

Il pouvait faire ce qu'il voulait chez lui, quand il voulait. Et en ce moment, justement, il s'occupait de ce qui finalement lui importait le plus au monde : rédiger un rapport qui irait grossir les dossiers des Affaires non classées.

Il s'empiffrait de muffins aux graines de tournesol en travaillant. Personne ne se plaindrait des miettes, à part peut-être la femme de ménage !

Tout en mâchant bruyamment, il tapa sur le clavier de son ordinateur :

Le développement de notre cerveau constitue actuellement l'étape ultime de sophistication de l'évolution sur notre planète. La belle affaire ! Nous pou-

vons nous payer le luxe de réfléchir avant d'agir, mais souvent, nos instincts animaux reprennent le dessus. Des instincts qui ne s'occupent pas de logique, et qui nous disent de ne pas penser, mais de réagir.

Il mordit dans son muffin et réfléchit un instant avant de continuer :

Peut-être sommes-nous allés au bout de nos capacités, et n'évoluerons-nous pas davantage. Peut-être les prochains progrès seront-ils le fait d'êtres que nous aurons créés. Peut-être ces intelligences artificielles...

Biiiip ! fit soudain l'ordinateur.
— Et zut !
Mulder essaya de bouger le curseur, mais il était coincé. Il appuya sur la touche « *Escape* ». Mais son ordinateur était bel et bien bloqué !
Mulder jura et donna une grande claque sur un côté de l'unité centrale. L'écran émit un éclair, puis reprit son aspect normal.
Soulagé, il soupira profondément et continua à toute vitesse :

Ces intelligences artificielles que nous créerons ne seront pas guidées par des instincts primaires les poussant à survivre à tout prix. Nous pouvons imaginer que ce ne seront pas de simples robots pensants, mais des êtres supérieurs à nous à bien des points de vue. Peut-être que des civilisations extraterrestres ont franchi cette étape technologique. Si ces êtres venaient nous rendre visite, saurions-nous les reconnaître? Ne seraient-ils pas horrifiés en voyant à quel point nous sommes primitifs?

Biiiip!

— La barbe! s'écria Mulder en jetant un regard assassin à son ordinateur. Je devrais changer de bécane et acheter le dernier modèle. Ces puces électroniques sont...

Il s'immobilisa.

Quelque chose venait de bouger à la limite de son champ de vision.

Il tourna la tête.

Un gros insecte se promenait sur le coin de la table.

Mulder frissonna en voyant que la bête se dirigeait droit sur lui et ses muffins.

Il attrapa le premier objet qui lui tomba sous la main — un gros classeur plein de rapports — et le leva dans les airs.

L'insecte, qui était en train d'examiner les muffins, leva sa grosse tête et regarda Mulder dans les yeux.

Mulder repensa soudain que cette bestiole, ou du moins ses ancêtres, habitait cette planète depuis bien plus longtemps que l'Homme.

Comment pouvait-il envisager, ne serait-ce qu'une seule seconde, de détruire un des chefs-d'œuvre de mère nature?

Il esquissa le geste de reposer le classeur.

Mais si les insectes avaient survécu pendant des milliards d'années dans des conditions difficiles c'est qu'ils avaient une bonne vue.

La bestiole remarqua tout de suite que Mulder avait bougé. Elle fit demi-tour et fonça se cacher derrière l'ordinateur...

Vlan!

Le classeur s'abattit.

— Je t'ai eu! s'écria Mulder.

Composition Euronumérique
Achevé d'imprimer en Europe (Allemagne)
par Elsnerdruck à Berlin
le 10 avril 1997
Dépôt légal avril 1997. ISBN 2-290-04528-4

Éditions J'ai lu
84, rue de Grenelle, 75007 Paris
Diffusion France et étranger : Flammarion